D0115219

PÉTER SA COCHE

:(:

Catalogage avant publication de Bibliothèque et Archives nationales du Québec et Bibliothèque et Archives Canada

Bonin, Matthieu, 1990-

Péter sa coche : journal d'une vie sauvée

ISBN 978-2-89225-936-0

1. Bonin, Matthieu, 1990- . 2. Blogues - Québec (Province). 3. Maniacodépressifs - Québec (Province) - Biographies. I. Titre.

RC516.B66 2017 616.89'50092 C2016-942495-2

Adresse municipale :
Les éditions Un monde différent
3905, rue Isabelle, bureau 101
Brossard (Québec) Canada J4Y 2R2
Tél. : 450 656-2660 ou 800 443-2582
Téléc. : 450 659-9328
Site Internet : http ://www.umd.ca
www.facebook.com/EditionsUnMondeDifferent
Courriel : info@umd.ca

Adresse postale :
Les éditions Un monde différent
C.P. 51546
Greenfield Park (Québec)
J4V 3N8

Dépôts légaux : 1er trimestre 2017
Bibliothèque et Archives nationales du Québec
Bibliothèque et Archives Canada
Bibliothèque nationale de France

Conception graphique de la couverture :
OLIVIER LASSER

Photocomposition et mise en pages :
ANNE-MARIE JACQUES
Typographie : Minion 12 sur 14,5

ISBN 978-2-89225-936-0

Financé par le gouvernement du Canada
Funded by the Government of Canada | Canada

Gouvernement du Québec – Programme de crédit d'impôt pour l'édition de livres et l'aide à l'édition – Gestion SODEC.

IMPRIMÉ AU CANADA

MATTHIEU
BONIN

PÉTER SA COCHE

:(:

JOURNAL D'UNE VIE SAUVÉE

UN MONDE DIFFÉRENT

À tous ceux qui sont atteints
d'une maladie mentale qui par le biais
de leurs témoignages m'ont procuré force
et courage pour rédiger ce livre…

Préface

Quelle belle machine qu'est l'être humain ! Avec sa tuyauterie cardiaque complexe, son réservoir vital pulmonaire, son ordinateur central à la fine pointe de l'évolution. L'Homo sapiens, « l'homme qui pense », a tout pour être une merveille de la biologie et affronter son environnement.

Au-delà du fonctionnement machinal et réglé à la cellule près, il y a cet univers infini, chaotique et lumineux, qu'est l'esprit humain.

L'esprit, l'âme, le système psychique, l'inconscient, le « petit quelque chose ». Peu importe comment on le nomme, cet espace est imaginaire et réel. Il est invisible mais se voit à travers nos actions, nos émotions, nos mots.

Lorsqu'on vient à souffrir de ce mal invisible qu'est la maladie mentale, c'est cet univers personnel qui est chamboulé. On ajoute du doute, de la honte, de la colère et de la tristesse à une équation déjà très complexe qui régule notre existence.

On devient le fou, le schizo, la squatte*, le bipolaire. On a peur de se faire placer dans une petite boîte de diagnostic, avec nos « semblables ». Pourquoi on a peur ? Parce que c'est* *trop souvent ce qui arrive. Derrière la psychose, les crises émotionnelles et les épisodes maniaques, il y a un humain. Il y a un fils, une fille, une maman, un collègue, un ami. Il y a cette personne avec ses blessures, ses victoires, ses espoirs et ses craintes. Il y a ce vrai semblable, fait de carbone comme vous et moi. Il y a l'envie d'aller mieux, d'aimer, de vivre.*

Par-dessus tout, il y a ce courage de venir demander de l'aide à un pur inconnu avec un diplôme dans un hôpital en béton.

La maladie mentale peut se guérir, mais bien souvent, c'est une compagne pour la vie. Une squatteuse de l'esprit qui s'est drôlement bien installée. Le traitement de ces maladies vise alors à l'apprivoiser. On apprend à la tenir tranquille, la contrôler, et surtout, l'empêcher de bousiller ce qui nous tient à cœur et de ne pas mettre le bonheur à la porte.

Cette quête de stabilité de l'état mental en est une parsemée d'embûches, de murs et de doute. C'est pourquoi nous sommes là. Infirmières, travailleurs sociaux, éducateurs spécialisés, médecins généralistes et psychiatres font partie de l'équipe du malade pour l'aider à reprendre le contrôle sur sa vie. Nous agissons comme le Mickey de leur Rocky. Nous célébrons leurs bons coups et les aidons à se relever lors d'un K.O.

~

Quand Matthieu m'a demandé de mettre ma touche personnelle et d'écrire quelques paragraphes pour son livre, je ne me suis même pas posé de questions avant d'accepter, pour lui montrer mon soutien.

Après avoir lu le manuscrit, je me sens honorée de pouvoir faire aller ma plume aux côtés de la sienne.

Matthieu décrit avec humour, humilité et humanisme son vécu psychique. Ce livre, qui aura été une façon pour lui de se regarder en face, pourra aussi servir à d'autres personnes afin de s'y retrouver. Cet écrit normalise ce qui a longtemps été tabou, et l'est encore parfois, la maladie mentale et le suicide.

Matthieu vous fait découvrir l'humain derrière l'image, l'esprit derrière le corps, et l'espoir derrière la souffrance.

Bonne lecture.

D[re] Julie Desjardins
Médecin résidente en psychiatrie

Prélude

J'ai toujours détesté les préludes interminables avant de pouvoir enfin commencer à lire un livre. Je vais donc tâcher de ne pas trop m'éterniser. N'empêche que quelques petites précisions s'imposent avant de vous laisser lire mon bouquin.

Ce livre est loin d'être un guide médical. Il s'agit de ma vision personnelle des différents troubles mentaux avec lesquels je suis lié pour le reste de ma vie. Mon but avec ce livre est de vous aider à mettre des mots sur vos souffrances ou de vous aider à comprendre les gens qui souffrent en silence dans votre entourage.

Vous assisterez en temps réel à chacune des phases de la bipolarité dont je suis atteint ainsi qu'aux difficultés qu'engendre un trouble d'anxiété généralisée… dont je suis aussi atteint. Le tout, en vous racontant l'histoire de ma vie. Non pas dans le but de rédiger une autobiographie, mais plutôt pour vous montrer à quel point les gens comme moi mènent une vie chaotique, remplie de choix irrationnels, d'émotions puissantes et d'instabilité.

Cette histoire de cas est extrêmement personnelle et je mets carrément mes tripes sur la table. Je veux démontrer qu'il n'y a aucune gêne à avoir si l'on souffre d'une ou de plusieurs maladies mentales. Je souhaite lever le voile sur les difficultés et la complexité de notre vie. La mort, la déprime, le noir, le désespoir, l'irrationalité, l'incompréhension, la joie, la folie et la beauté font partie de notre quotidien.

Vous verrez par vous-même le développement progressif de chaque phase. On ne tombe pas dépressif à la suite d'un high du jour au lendemain lorsqu'on est bipolaire. Soyez donc attentif au changement de ton et au style d'écriture, car ce livre a été écrit en temps réel lors de mes trois phases circulaires de bipolarité, soit la dépression, le high et la phase normale. J'ai aussi identifié les phases dans lesquelles je me trouvais tout au long de ma vie, afin que vous puissiez comprendre dans quel état j'étais.

Il y a donc deux histoires dans *Péter sa coche.* Une en temps réel et une autre où l'on survole mon passé, dans lequel vous pourrez observer les ravages que les maladies mentales peuvent faire dans la vie de quelqu'un.

Puisse ce livre mettre des mots sur vos souffrances en vous démontrant que vous n'êtes pas seul, et qui sait?, vous inciter à aller chercher de l'aide. J'espère également que cet écrit permettra aux gens qui côtoient une personne atteinte d'une maladie mentale de comprendre un peu mieux ce qu'elle vit et ses comportements qui parfois peuvent sembler irrationnels.

Bonne lecture,

M. B.

Introduction

Demain, je vais officiellement savoir ce qui ne va pas dans ma tête puisque j'ai mon premier rendez-vous dans une clinique de santé mentale. Même si j'ai déjà une bonne idée de ce que j'ai, je suis tout de même inquiet. Et si ce n'était pas ça ? Et si je me plantais ? Et si c'était encore plus grave ? Et s'il n'y avait rien au fond et que tout ceci n'était en fait qu'un énorme mensonge que je me conte à moi-même depuis 26 ans ? Je pense que c'est ça qui me fait le plus peur. Apprendre qu'en réalité, je n'ai rien. Quelle ironie de marde !

C'est qu'il y a une caractéristique unique de cette maladie qu'est la bipolarité qui… nous rend invincibles ! Du moins, un certain temps. On a littéralement l'impression d'être plus qu'une simple personne ordinaire. On ressent deux fois plus les choses. On est intimement lié à ses émotions et on se sent invincible. Je fais souvent une comparaison un peu débile afin que les gens comprennent ce que je vis en permanence. Je leur dis : « Imaginez une personne qui reçoit une bonne nouvelle. Elle va être contente. Ben moi, si j'ai la même bonne nouvelle, je vais être content multiplié par un million… et c'est le même principe pour une nouvelle triste. » Ouais, je ne suis pas vraiment un chef dans l'art des métaphores.

Enfin bref. Cette maladie nous convainc qu'on ne vit pas comme les autres. Qu'il y a quelque chose de très spécial dans notre existence nous laissant croire que nous sommes différents. La folie frôle le génie et il est facile de se laisser charmer par cette idée. On finit donc par accepter cette maladie. Elle fait partie de nous. J'ai deux bras, deux jambes et un trouble de bipolarité. Je suis profondément attaché à elle et l'éventualité de peut-être la perdre demain me terrorise. Toute ma vie perdrait alors son sens!

Et si ce n'est pas la bipolarité qui a guidé ma vie jusqu'à présent, c'est quoi? Quoi d'autre aurait pu foutre un bordel aussi monumental dans mon existence? Mais là je sens que mon anxiété prend le dessus. On n'est même pas demain et j'en suis déjà à prévoir les scénarios catastrophiques. Je me dis qu'avant d'aller plus loin, je devrais attendre d'avoir le verdict officiel. J'arrête donc maintenant et je vous reparle demain! (Ce qui pour vous représente le paragraphe suivant.) (C'était de l'ironie. Dans le sens où je ne vous explique pas réellement que le paragraphe suivant pour vous représente demain. C'était une blague.) O. K. bye.

(Je ne sais pas trop comment on informe les gens dans un livre que deux jours se sont écoulés depuis le dernier paragraphe… Disons que ce sera comme ça.)

Hier donc, j'ai rencontré cette fameuse psychiatre à la clinique de santé mentale. Ça n'a pas super bien été, pour tout vous dire. Avec le temps et à force d'avoir rencontré divers intervenants du milieu de la santé mentale – centre d'intervention de crise, 811, travailleurs sociaux, médecins, etc. –, j'ai rapidement compris que pour le traitement adéquat de notre problème, il faut être extrêmement précis à propos de nos symptômes et notre personnalité.

Si on a le malheur d'oublier un petit détail, cela peut complètement changer le diagnostic. On ne parle plus d'anxiété, mais de paranoïa. On ne parle plus de bipolarité, mais de trouble « borderline » ou de la personnalité limite, et chaque diagnostic peut avoir des conséquences désastreuses puisque la médication ne sera peut-être pas la bonne selon notre problème, en plus de possiblement modifier notre personnalité. Il faut donc être extrêmement précis lorsqu'on décrit nos symptômes.

Pour ma part, je n'ai pas pris de chance. Me connaissant, j'ai décidé de mettre tout ça sur papier afin d'être certain de ne rien oublier. J'ai ensuite faxé mon texte à la psychiatre pour qu'elle puisse le lire avant notre rencontre afin de ne pas perdre une seule minute de la précieuse heure qu'on m'accordait avec elle.

Avec ce texte, en plus des deux diagnostics identiques que j'avais reçus de la part de mon médecin de famille et de la psychiatre qu'il m'avait envoyé voir à l'urgence de l'hôpital Anna-Laberge, soit trouble bipolaire de type 2, avec troubles anxieux, je m'attendais un peu au verdict que j'allais recevoir. De plus j'étais déjà médicamenté pour ces problèmes.

Donc pour moi, ce rendez-vous n'était qu'une formalité. On me confirme ces diagnostics, on ajuste les doses des deux médicaments que je prenais déjà : du Teva Divalproex 250 mg, du Rivotril 0,5 mg et merci bonsoir ! Ces deux médicaments me faisaient énormément de bien. Malheureusement, ça ne s'est pas passé comme ça. On m'avait bien averti d'entrée de jeu que j'avais droit à une heure de consultation, pas plus. Ce qui fut effectivement le cas. La rencontre a très exactement duré une heure top chrono. Une heure. Une heure pour décrire la complexité de mon quotidien des 26 dernières années.

Évidemment il n'a pas été question une seule fois durant toute la rencontre de mon texte. Ce que j'ai pu être naïf! J'ai aussi eu l'impression qu'on me mettait des mots dans la bouche. « Vous dites telles choses, c'est en raison de telles choses n'est-ce pas? » ou « Lorsque vous dites ceci, c'est qu'en fait vous voulez dire cela », me disait la psy sur un ton affirmatif.

J'ai eu l'impression d'être devant un technicien entouré de plans qui cherchait celui qui s'appliquait à moi. Très froide et aucunement conviviale. Une inconnue tentant de résoudre une formule mathématique à l'aide de théorèmes. Puis à cinq minutes de la fin, même si nous n'avions clairement pas fini de faire le tour de la question, elle m'a droppé un diagnostic: trouble cyclothymique (ou un truc du genre). Je n'ai pas vraiment eu la chance de comprendre, car l'heure tirait à sa fin et elle était déjà en train de me parler de ma nouvelle médication. Ça aussi, j'aimerais bien vous en révéler davantage, mais… je n'ai rien compris.

Elle a terminé en me disant que les pilules que je prenais présentement étaient nocives et que je devais arrêter de les prendre sur-le-champ. Je suis resté assis, complètement sous le choc, jusqu'à ce qu'elle me demande ce que je faisais encore dans son bureau. Une chance que je n'avais pas cinq ans parce que je lui aurais fait une solide grimace! Je suis sorti de là dans le doute total, ne sachant plus qui croire ou quoi faire. Je suis resté accroupi en Indien contre un arbre en face de l'hôpital pendant une bonne heure à pleurer toutes les larmes de mon corps. Retour à la case départ. Je suis toujours malade, mais cette fois-ci je n'ai aucune idée de ce qui m'affecte. J'aurais bien contacté mon médecin de famille pour lui demander conseil, mais chanceux comme je suis, il est en vacances pour les deux prochaines semaines.

J'ai eu un grand sentiment d'impuissance. On nous vante souvent les mérites de ces centres d'aide comme Info-Santé 8-1-1 ou des centres de crise qui donnent un soutien téléphonique. Je me suis dit: *Pourquoi pas?* Je crois remplir parfaitement tous les critères pour être pris au sérieux et je n'ai rien à perdre à essayer! On m'a effectivement aidé. Bah, aidé... c'est un bien grand mot. On m'a suggéré de boire un grand verre d'eau, de me coucher sur le sol et d'écouter de la musique. Un peu plus et on me demandait de faire des dessins au crayon de cire... câlice!

I

Période dépressive phase 1 : interminable attente

Voilà, c'est dans cet état que je me retrouve présentement. Beaucoup de gens m'ont suggéré de me fixer de petits objectifs au quotidien afin de me réhabiliter. Il semblerait donc que ce serait bénéfique de me fixer un petit objectif aujourd'hui. J'en ai trouvé un ! Lever mon bras droit dans les airs... Bon, c'est fait. Toujours pas de changement. *No shit.*

Quelle idée de retardé que de se fixer de petits objectifs ! Ouais, faire ma vaisselle va m'empêcher de me tuer parce que c'est cool, faire la vaisselle ! En plus, j'aurai le sentiment d'avoir accompli quelque chose d'important ! Non, je choisis le *gun. Fuck* mon ostie de vaisselle ! Je vais même aller casser une assiette. Tout de suite. Maintenant. Sans raison. Et personne ne va m'en empêcher.

(Je suis réellement allé péter une assiette dans ma cuisine. Je dois vous avouer que je me suis trouvé un peu con d'avoir fait ça, en ramassant les petits morceaux de porcelaine un peu partout dans mon appart.)

Par contre, je ne me sens toujours pas mieux. Pourtant, j'ai atteint mon objectif ! Pourquoi ce truc ne fonctionne-t-il pas ? Ah oui ! PARCE QUE C'EST UN TRUC D'IMBÉCILE ! Vous savez quoi ? J'en ai trouvé, un objectif. Mon médecin de famille revient dans 15 jours. J'ai donc 15 jours à vivre dans une souffrance incroyable en plus d'avoir des arrière-pensées suicidaires qui me viennent en tête aux deux minutes.

Le tout sans aucun médicament pour tenir le coup, puisque la psychiatre a fait une RECOMMANDATION de médocs à mon médecin et non une PRESCRIPTION de médocs. Donc 15 jours. QUINZE JOURS : 360 heures : 21 600 minutes : 1 296 000 secondes. (J'ai commencé à calculer les nanosecondes, mais y'a toujours ben des limites.)

Voici donc le petit objectif que je me fixe afin de tenir le coup : écrire un livre de 60 000 mots sur ma vie qui aura pour but de permettre à des milliers de gens d'identifier leur état, de comprendre et de mettre des mots sur ce qu'ils vivent au quotidien.

J'ai cette facilité d'utiliser les mots justes afin de décrire une situation de manière extrêmement précise. Peut-être serai-je en mesure de mettre des mots sur les difficultés de certaines personnes qui souffrent en silence ou bien de faire comprendre à leur entourage l'enfer que ces gens vivent chaque jour…

Je partirai donc du début. De mon enfance jusqu'à maintenant. Je crois que, pour bien comprendre et connaître une personne, il faut savoir d'où elle vient et ce qu'elle a vécu. Mon livre se veut une vue d'ensemble des dommages que la maladie mentale peut causer dans la vie d'une personne.

Nous sommes aujourd'hui le 6 août 2016 et mon médecin revient le 21 août. D'après mes calculs scientifiques, pour écrire un livre de 60 000 mots, en gardant une cadence de 4 000 mots par jour, je devrais pouvoir y arriver. Sinon je meurs. Non. J'déconne. (LOL)

C'est cool parce que j'aurai deux histoires à écrire en même temps. Une sur mes trois phases de bipolarité et l'autre sur ma vie. Il ne me restera plus qu'à mixer en temps réel les deux histoires ! Parle-moi de ça, un VRAI petit objectif ! TU VAS FAIRE QUOI, HEIN ?

(Un jour plus tard)

Je repensais à mon histoire de 60 000 mots et j'ai fini par trouver ça un peu bête. Pourquoi 60 000 ? Je n'ai pourtant aucune contrainte. Je peux me rendre à 200 000 si je veux ! Après tout, ce qui fait qu'un livre est un livre, ce n'est pas le nombre de mots, mais bien l'histoire qu'il raconte. Quelle idée stupide !

C'est peut-être ce que tout le monde essayait de m'expliquer en me parlant de me fixer des buts. C'est un peu ça que j'ai fait, non ? Sauf qu'au lieu de m'être donné comme objectif de monter une colline, j'ai décidé de gravir le mont Everest afin d'aller écrire mon nom en pisse sur le top de la montagne. (Un rêve d'enfant, ne posez pas de questions.) C'est toujours comme ça. Je suis incapable de faire les choses simplement. Il faut toujours que ce soit grandiose. Il faut toujours que je me surpasse et si je n'ai pas le sentiment de me surpasser, je deviens profondément malheureux. Je me sens comme une vraie merde incapable de faire quoi que ce soit. Cool, non ?

Je ne sais pas d'où me vient ce besoin de toujours devoir rouler à 200 km/h. Est-ce pour me prouver quelque chose à moi-même ? Est-ce pour prouver quelque chose aux autres ? Je ne sais pas. La seule chose que je sais, c'est que c'est plus fort que moi. Certains n'ont qu'à se promener sur le bord d'une falaise pour ressentir de l'adrénaline. Moi j'ai besoin de sauter en parachute de cette falaise pour ressentir la même émotion.

Suis-je fou ? Est-ce que c'est un problème ou un trait de caractère ? Chose certaine, le fait de garder toujours le pied enfoncé sur la pédale m'a amené mon lot de problèmes, mais cela m'a aussi permis des expériences que peu de gens auront la chance de vivre.

Il y tant de choses à voir,
à découvrir, à accomplir…
et nous avons si peu de temps.

J'ai envie d'être pilote d'avion. J'aimerais me perdre dans la jungle amazonienne. J'ai aussi envie d'être plongeur dans un restaurant délabré du Brésil. Je veux tout savoir sur la philosophie. Je veux comprendre la robotique. Je veux également découvrir un fossile de dinosaure. Tout ça dans la même journée. (LOL)

J'ai toujours été fasciné par les gens qui se sont empressés de stabiliser leur vie dès qu'ils en ont eu l'occasion. Des gens de mon âge (j'ai 26 ans) qui se sont déjà fait bâtir une maison dans la ville où ils ont grandi. Mariés à des filles qu'ils connaissent depuis la maternelle et qui travaillent à cinq minutes de leur demeure. Le tout bien sûr avec deux enfants qu'ils ont eus à l'âge de 24 ans… Bordel ! On est loin de mon fossile de tricératops !

En même temps je respecte ces gens-là. J'aurais aimé que ma vie soit aussi simple. Les études, la carrière, la famille, la retraite… une belle histoire. Moi j'ai plutôt l'impression de vivre dans un chaos total et le seul être vivant dont je parviens à m'occuper adéquatement, c'est ma chatte. Elle s'appelle Menace Fantôme et je l'aime. Voilà, c'est la seule fois où je parlerai de ma chatte dans ce livre. Bref, la routine me rend fou.

Donc lorsqu'on m'ordonne de me fixer comme seul objectif dans ma journée de plier les draps de mon lit, cela me prend toute mon énergie pour ne pas souhaiter un cancer à la personne qui me le dicte. Alors, je me fixe comme objectif de réussir à écrire 60 000 mots en 15 jours et on verra pour la suite. Peut-être que je ne serai rendu qu'au troisième chapitre de mon livre. Plus l'écriture avance et plus je comprends que j'ai pas mal de trucs à raconter…

MA VIE

Chapitre 1 : l'enfance

L'enfant tourmenté

Né en 1990, j'ai eu une enfance assez tourmentée. Dès l'âge de six ans, j'avais constamment l'impression d'être dans un film. Un peu comme dans *Le Show Truman*. À l'instar du personnage joué par l'unique Jim Carrey, je parlais souvent tout seul pour faire rire un public imaginaire. Je me demandais sans cesse si c'était dans ma tête ou s'il y avait bel et bien des caméras cachées filmant mes moindres faits et gestes. Dans le doute, je ne prenais pas de chance et je donnais un spectacle digne de ce nom.

Chaque jour donc, je jouais un rôle dans ma propre vie. Je me considérais comme la seule personne réelle et tous les autres étaient des acteurs. En y repensant aujourd'hui, si quelqu'un avait su ça, j'aurais probablement fini mes jours à l'asile…

J'imitais absolument tout ce que je voyais en termes de trait de caractère que je remarquais. Je reprenais les tics de Jim Carrey dans *Ace Ventura*, je m'appropriais des expressions que j'entendais dans d'autres films, j'imitais les gens autour de moi; bref, ma personnalité n'était en fait qu'une réplique de tout ce qui m'entourait.

Déjà à cet âge, je vivais des émotions extrêmement puissantes. L'amour, la colère, la peur, l'insécurité et la mélancolie prenaient une place immense dans ma vie. Même si je n'étais pas en mesure de les identifier, je les ressentais. J'étais envahi par ces émotions. À six ans.

Puis un beau jour, plus précisément le 10 janvier 1997, mes parents nous ont convoqués, ma sœur et moi, dans le salon pour nous faire une grande annonce. Ils allaient se séparer. Sur le coup, je n'ai pas tout à fait réalisé ce que cela voulait dire. À sept ans, disons qu'on n'est pas trop renseigné sur le sujet. Mais j'allais vite le découvrir…

La séparation

Mon père est un grand émotif. C'est d'abord et avant tout un artiste. Son truc à lui, c'était la musique. Il était chanteur et à l'époque c'était une véritable star des bars de chansonniers. Quand c'était son soir, il y avait une file d'attente bourrée de gens impatients de l'entendre. J'ai hérité de son côté artistique et de tout ce qui vient avec. J'ai toujours eu une affinité spéciale avec mon père grâce à ça. On s'est toujours compris sans avoir besoin de se parler.

La gloire, l'argent, les femmes et la vie de musicien ont finalement eu raison de lui. Ma mère a décidé de le quitter. Trop instable et pas dans le même monde qu'elle, j'imagine.

Il m'a avoué récemment que c'est son métier de chanteur qui lui a fait perdre tout ce qu'il aimait.

~

La célébrité est souvent un couteau à double tranchant et bien souvent il est impossible de concilier le showbiz et la vie personnelle. La gloire a un prix et il est très élevé.

~

Mon père a été complètement anéanti par cette séparation. Lui qui donnerait un rein juste pour faire plaisir, gérait très mal cette peine d'amour doublée de la perte de ses enfants. Détruit, il a tout donné à ma mère et a accepté la proposition de nous voir qu'une fin de semaine sur deux.

Il rappliquait souvent en pleurs où nous habitions pour essayer de recoller les morceaux. Des scènes marquantes qui resteront gravées dans ma mémoire à jamais. Lorsque mes parents se disputaient, notre voisine venait nous réconforter, ma sœur et moi. C'est ce qui fut mon introduction à l'amour. Douloureuse, triste et amère…

Une fois ce nouveau mode de vie commencé, je m'ennuyais terriblement de mon père qui, du jour au lendemain, n'était plus dans mon quotidien. Je me souviens que chaque soir, pour m'endormir, j'écoutais son album le cœur gros et rempli de tristesse. Je peux vous assurer que de s'endormir en pleurant n'est pas aussi amusant que d'aller à La Récréathèque… croyez-moi.

Je n'ai jamais vraiment parlé de cette séparation avec ma mère. Ma relation avec elle dans ma jeunesse a toujours été en montagnes russes. Elle était très émotive, elle aussi, et elle criait beaucoup. Vraiment beaucoup. Pour elle, si le message ne passait pas la première fois, il allait certainement passer en criant. J'ai toujours eu l'impression que c'est à mon père qu'elle s'en prenait, en me criant dessus.

Ma mère était très impulsive. Elle a toujours eu le pied enfoncé sur la pédale toute sa vie. Pour cette amatrice de sports extrêmes, tout devait toujours aller à la vitesse grand V. Ma mère est pompière, ça vous donne une idée. Elle est aussi atteinte du trouble de déficit d'attention. Il n'est pas rare qu'elle cherche pendant des heures un objet qui se trouve dans son estie de poche de pantalon.

Je ne garde que très peu de bons souvenirs de cette période de ma vie. Ma sœur et moi étions au beau milieu d'un combat entre deux jeunes adultes dans la vingtaine. Je me souviendrai toujours d'un soir avant d'aller me coucher, où du haut de mes sept ans, j'ai pris mon courage à deux mains et j'ai exigé de ma mère qu'on opte pour la garde partagée. J'ai senti à ce moment-là que je venais de briser quelque chose en elle. Comme si je venais de lui dire que je l'aimais moins… ou pas assez. Ce n'était guère mon intention. Je m'ennuyais simplement de mon papa.

J'en avais assez de cette foutue guerre entre mes deux parents qui tentaient d'acheter notre amour. « Reste ici, en fin de semaine on va aller magasiner. » « Veux-tu une nouvelle paire de souliers ? » « Dis à ta mère qu'on part une semaine à Québec, on va avoir du fun ! » C'était un véritable concours pour déterminer qui serait le plus aimé par ses enfants.

Beaucoup plus tard j'ai vu l'impact que cette compétition avait eu sur moi. Des années durant, j'ai tenté d'acheter l'amour. Il m'a fallu beaucoup de temps pour me rendre compte qu'on ne peut pas acheter une personne avec des cadeaux, et j'ai dû faire un gros travail de désapprentissage afin de régler ce problème. J'y suis finalement parvenu. Yé !

On a finalement commencé la garde partagée. Quel bordel ! Ce fut le festival du « ça, c'est le linge que je t'ai acheté, il reste ici » et des « si t'as besoin de tel truc, demande à ton père, j'ai payé pour ta sœur ». On avait donc tout en double et chaque semaine on quittait notre chambre pour une autre en étant constamment dans nos bagages. Nous étions devenus aussi les messagers. Tout ce qu'ils avaient à se dire passait par nous. Et qui recevait la marde après le dernier message à transmettre à l'autre ? Oui… nous. C'était un environnement totalement sain et stable pour des enfants. (Ceci était sarcastique).

Mais je ne blâme pas mes parents pour autant. La situation n'a pas dû être facile à gérer. C'est pour cette raison, entre autres, que je ne souhaite pas avoir d'enfants. J'ai été traumatisé par cette expérience.

Mon primaire

C'est donc dans cet état d'esprit que chaque jour je me rendais à l'école. Le crâne bourré de tourments. L'école était mon exutoire. J'étais enfin libéré de toute cette hargne qui constituait mon quotidien. Je pouvais enfin lâcher mon fou et ne pas me préoccuper des problèmes d'adultes. À l'école, je pouvais à nouveau être qui je voulais. Un comique. J'avais un fun fou à m'évader de cette vie aussi compliquée que la physique quantique.

Au primaire, j'ai eu énormément de difficulté à me faire accepter dans un groupe. J'étais beaucoup trop extraverti. Je contrôlais mal mes émotions, qui étaient d'une intensité sans nom. Quand j'étais heureux, je l'étais beaucoup trop; même chose quand j'étais triste. Je contrôlais mal mon ton de voix aussi. Des fois j'expliquais certains principes ou notions aux autres et, sans m'en rendre compte, je criais. J'étais simplement content, mais incapable de maîtriser mes émotions. J'étais carrément aux commandes d'un vaisseau trop complexe et puissant pour moi.

Je comprends les autres jeunes de mon âge de m'avoir repoussé. Je devais être tellement lourd avec mon instabilité émotionnelle. Un mois, j'étais le *kid* le plus heureux du monde et le mois suivant, je me cachais dans un coin pour ne pas voir personne. Ces changements d'humeur survenaient sans raison particulière. Je n'avais vraiment aucun contrôle sur ce qui se passait dans ma tête.

Donc ouais, j'ai passé la majorité de mon primaire seul. J'étais dans la catégorie des moutons noirs, juste en haut du *nerd.* On me tolérait parce que j'étais sans malice, mais on ne m'invitait que très rarement à des partys d'anniversaire. Quatre pour être précis. (Ouais, je m'en souviens. J'ai ce don de retenir des informations complètement inutiles que je peux dropper une fois aux mille ans. C'est vraiment pratique! Je remercie le ciel de m'avoir donné ce don légendaire! Ben non, on s'en câlice tellement.)

Mes notes au primaire étaient assez représentatives de ma personnalité: 0 % en maths, 0 % en français, 100 % en oral, 100 % en compréhension de lecture et de 1 à 60 % pour tout le reste. Honnêtement, je n'ai aucune idée du miracle par lequel je suis parvenu à ne pas redoubler une année scolaire.

Mes résultats étaient une immense source d'anxiété. Pas que je me souciais de mon avenir... j'étais tout simplement terrorisé à l'idée de faire signer une dictée à ma mère pour laquelle j'avais eu 2 %.

J'étais incapable de me concentrer à l'école, du genre que si la mine de mon crayon brisait, j'étais distrait pendant une heure. Ce qui faisait en sorte que j'avais souvent des notes de marde. Chaque fois c'était la même chose. Je devais affronter de la colère, des punitions, de la déception et quand j'étais vraiment malchanceux, ma mère appelait mon père qui lui aussi me donnait de la marde au téléphone. Une fois, j'ai même essayé d'ajouter deux zéros à côté du 1 %. Tentative qui a lamentablement échoué. Résultat : trois semaines sans sortie.

Notre maison était proche de l'école. Je faisais donc le trajet pour m'y rendre à pied. Je devais traverser un grand terrain de soccer avant d'arriver chez moi et chaque fois que je revenais de l'école avec de mauvaises notes, je tournais en rond sur ce terrain avant de rentrer. Le cœur voulait me sortir de la poitrine. Je m'allongeais sur le gazon le plus longtemps possible avant de dépasser mon heure de rentrée afin de profiter du temps qu'il me restait, car je savais que je m'en allais subir la Troisième Guerre mondiale. Disons que j'avais assez de motifs pour vouloir m'étendre sur ce foutu terrain de soccer toute une vie avant de devoir aller affronter la tempête. Je crois que c'est lors de cette période que j'ai eu mon premier contact avec l'anxiété.

~

Je ne tolère pas qu'on crie après un enfant, jamais. C'est la voie facile. Crier après un enfant a pour seul effet de lui faire peur tout en le mettant dans un environnement stressant. Au lieu de crier, prenez la peine de bien faire comprendre à l'enfant pourquoi ce qu'il a fait est mal. La communication est toujours la meilleure solution.

~

Allez crier à votre patron que vous souhaitez obtenir une augmentation. Si vous voulez, je peux même vous aider à faire vos boîtes cette journée-là…

Mon primaire s'est terminé de façon extrêmement douloureuse. À mon école primaire de Sainte-Martine, on entrait à la maternelle et se rendait jusqu'en 5e année, pour ensuite faire notre 6e année jusqu'à secondaire 3 dans une école juste à côté; et nous faisions notre secondaire 4 et 5 dans une autre école. (Il y a beaucoup de répétitions du mot «école» dans ce paragraphe, mais je m'en fous, O. K.!)

Bref, pour souligner notre départ du primaire, nous devions faire un album de finissants. Finissants de quoi, je ne le sais pas, mais c'était l'événement du siècle. On devait tous remplir un genre de questionnaire qui paraîtrait dans ledit album. Des questions du genre: Quelle est ta musique préférée? Qu'est-ce que tu veux faire plus tard? Et blablabla. Tirez-moi une balle tellement l'impertinence de ces questions est insupportable. On devait ensuite remettre nos fiches à la personne responsable de cet album ringard qui approuvait nos réponses avant de le faire imprimer.

Une fois l'album imprimé, on nous le remettait afin qu'on puisse le faire signer par nos amis. Inutile de vous dire que le mien était assez vide merci. Mais ce qui m'a le plus frappé en tournant les pages de cette merde, c'est la fiche d'une élève à qui je n'avais rien fait et qui, un jour, avait tout simplement décidé de me détester. À la question « Exploit ou pire gaffe ? », elle a écrit et je cite : « Avoir connu Matthieu Bonin ». *Yes !* Je venais de réaliser que circulaient dans toute l'école 300 cochonneries d'albums d'étrons qui contenaient une page racontant que la pire gaffe d'une fille avait été de m'avoir connu. *NICE !* Le pire dans tout ça, c'est que cette fiche est passée par un professeur qui a quand même accepté de la publier. Je veux juste dire *fuck you* à ce prof. (Ça m'a fait du bien.)

C'est ainsi que s'est terminé mon joyeux primaire. Le plus étonnant dans tout ça, c'est que j'ai absolument tout vécu de l'intérieur. Personne n'aurait pu savoir durant toutes ces années qu'un ouragan faisait des ravages dans ma tête. Je ressemblais à n'importe quel autre petit gars de mon âge, sauf que je camouflais maladroitement un immense mal de vivre qui me rongeait les entrailles…

II

Période dépressive phase 2 : cœur et âme aux abois

Je relisais le chapitre sur mes matins avant d'aller à l'école et, au moment d'écrire ces lignes, j'ai eu littéralement l'impression que le cœur allait me sortir de la poitrine. Le fait de repenser à tout ceci me fait revivre l'anxiété que je ressentais chaque matin avant d'aller à l'école. J'prendrais bien un anxiolytique pour me calmer, mais AH OUI, C'EST VRAI : MON MÉDECIN REVIENT SEULEMENT DANS 15 JOURS !

Génial, maintenant ça ne veut pas partir et je suis incapable de me concentrer sur quoi que ce soit. Je dois me fixer un objectif afin de combattre cette soudaine anxiété ! J'en ai un ! Écrire 60 000 mots en 15 jours ! Poursuivons…

O. K., je vais juste aller fumer une cigarette avant de poursuivre. Imaginez, je n'en suis qu'au début de l'écriture du chapitre sur mon secondaire et je suis déjà dans tous mes états. Ça va être beau tantôt lorsque je vais vous raconter la fois où j'ai détruit de façon magistrale ma voiture de 20 000 $. Je vais fumer…

(Environ cinq minutes plus tard ou quelque chose du genre, je n'ai pas chronométré, désolé)

Imaginez 30 secondes ce que c'est que de vivre avec cette anxiété 24 heures sur 24. Pire, imaginez ce que c'est de vivre ça au travail ou au beau milieu d'une soirée entre amis. En une fraction de seconde, simplement parce que vous avez entendu ou vu quelque chose qui vous rappelle un événement stressant du passé, du présent ou de ce qui s'en vient prochainement, vous perdez tous vos moyens. Vous devenez maladroit, distrait, vulnérable, et tout ce que vous souhaitez, c'est d'être dans un endroit, seul. C'est ça, ma vie. Cool, non ? Et pour répondre à votre question, non, je n'ai pas beaucoup d'amis.

Je suis présentement planté devant mon écran d'ordinateur, complètement dans la lune. Je gosse avec un bouchon de Gatorade dans ma main et je regarde dans le vide. J'ai beau avoir réglé ma crise d'anxiété (en partie), maintenant je dois retrouver ma concentration. J'écris présentement une phrase aux cinq minutes. Là je gosse maintenant avec un pousse-mine. Je brise des petits morceaux de mine pour les jeter dans mon cendrier. Je le fais de manière complètement inconsciente. O. K., je reprends l'écriture. FAUX. Je m'en vais fumer *un bat.*

[ALERTE ! JE SUIS COMPLÈTEMENT BATTÉ] Sachez que ceci est la pire des idées, croyez-moi, je l'ai appris à mes dépens. Well, *ce qui est fait est fait.*

Lors de l'édition de ce livre, je vais exiger qu'aucun de ces passages ne soit corrigé ou modifié. Je me suis sérieusement demandé si c'était une bonne idée de mentionner dans cet ouvrage que je fumais du *pot.* Probablement par peur d'être jugé *like,* parce que je suis malade et blablabla que c'est pas bon, fumer, pour moi : ça peut empirer le *shit.* Mais si ce livre est à propos de ce qui se passe dans ma tête, je juge que c'est pertinent d'y inclure ces épisodes.

Je ne fume pas vraiment souvent. Deux ou trois fois par semaine à peu près, le soir. Je ne sais pas si ça représente beaucoup. Je fume surtout quand j'ai été énormément stressé et décâlicé toute la journée.

J'ai simplement envie d'avoir un petit
moment où je ressens du bonheur.
Où je suis capable de rire, d'être émerveillé
par des petites choses simples de la vie.

Quand je fume, j'ai l'impression d'être connecté avec moi-même. Je suis enfin soulagé et, l'espace d'un instant, je n'ai plus peur. Je suis bien. Bien dans ma peau. Je respire normalement et chaque souffle m'envahit de zénitude.

Je mets de la musique, comme en ce moment. Je suis à l'écoute du solo de la toune *Keep on Chooglin'* (de CCR) et je tombe dans ma tête. Je voyage librement dans un univers réconfortant et plus rien n'existe autour de moi. C'est mon petit secret pour m'échapper de ma triste vie. Bon, là j'ai faim.

Je m'en vais me faire un sandwich ! On se reparle au prochain *bat* ! Ce serait quand même drôle si vous aussi fumiez *un bat* uniquement pour lire ces passages ! Ce serait vraiment drôle ! Bon, ça suffit. O. K., bye les malades !

[FIN DU SEGMENT ALERTE ! JE SUIS COMPLÈTEMENT BATTÉ.*]*

(Le lendemain, il me semble)

J'ai finalement rencontré mon médecin de famille. Aujourd'hui le 8 août 2016 ! Il a eu vent de mon histoire et s'est libéré pour me voir avant de partir en voyage. Quel chic type ! La rencontre s'est bien déroulée et on a un plan ! Désormais je prends du Seroquel. Aussi connu sous le nom de quétiapine. Un médicament puissant qu'on donne à des schizophrènes, des bipolaires, des dépressifs, des anxieux et des dinosaures – non, j'déconne.

Ce médicament est dans la famille des antipsychotiques et ma dose est présentement de 50 mg par jour. Le plan de mon médecin, c'est de m'en faire prendre pendant 15 jours afin de voir si la dose me convient ou si on doit l'augmenter. J'ai beau avoir lu toute la documentation disponible sur Internet à propos du Seroquel, je dois vous avouer que je n'ai aucune idée de ce que ce truc va me faire. J'espère que je pourrai toujours faire caca. (LOL j'ai écrit *caca* dans un livre !)

(Un jour plus tard, ça j'en suis sûr)

Je dois vous avouer quelque chose... je viens de prendre ma première pilule de Seroquel pis je suis défoncé raide. J'ai l'impression de m'être fait exploser un kilo de tranquillisants dans le rectum ! C'est complètement hallucinant comme sensation ! J'ai envie de dormir pendant 10 ans. JE VEUX ÊTRE UN OURS ET QUE CE SOIT L'HIVER MAINTENANT !

Je pourrais ne pas mettre ces passages dans mon livre, mais en même temps, c'est ça le cœur de ce bouquin. Ce n'est pas un ouvrage de référence ou un guide. Ce livre porte sur la vie d'un *dude* qui souffre de maladies mentales. On observe son passé et on vit son présent afin de comprendre le processus mental et médical de sa vie, tout en survolant la folie qui l'habite au quotidien. (Je viens d'écrire tout un paragraphe en parlant de moi à la troisième personne, TK[1].)

1. TK : en tout cas.

(Deux jours plus tard, je pense. Non, hum… je crois que c'est un)

Juste avant de commencer à écrire un nouveau chapitre sur ma vie, je voudrais faire un petit retour sur hier soir. Je n'ai jamais aussi bien dormi de toute ma vie. Par contre, ce médoc a un effet à long terme. Il nous endort sur le coup, mais il agit aussi dans notre système durant une période de 24 heures. Aujourd'hui donc, j'ai pu constater les réels effets du Seroquel. Je me sens un peu zombie en ce moment… Je ne suis pas convaincu que c'est la bonne médication.

C'est un drôle d'effet. Je ne ressens plus rien, émotivement parlant. Je suis toutefois en plein contrôle de mes moyens. C'est comme si, au lieu de ressentir mes émotions, je les intellectualisais. Je ne suis plus dans l'impulsion, mais dans la réflexion. Il faut dire aussi que j'ai quitté mon minuscule appartement de Montréal pour venir séjourner dans la maison de campagne de ma mère qui donne sur un immense champ de blé. La beauté et le calme de l'endroit y sont peut-être pour quelque chose. L'environnement d'un individu doit certainement avoir un impact sur sa psyché. Le vrai test du Seroquel battra son plein lors de mon retour à Montréal, avec tout le stress qui s'y rattache.

MA VIE

Chapitre 2 : mon adolescence

L'intimidation

Mon arrivée au secondaire fut au-delà de mes espérances. Pour je ne sais quelle raison, les filles plus vieilles tripaient sur mon cas. Ç'a duré… au moins un bon 37 secondes, je vous dirais. Je n'avais pourtant rien fait à personne, mais les autres gars ont rapidement compris que je représentais une sorte de menace pour eux. Le lendemain, il y avait déjà un faux compte MSN de moi qui circulait, me faisant dire toutes sortes de niaiseries. On m'a trollé avant même que le terme ne soit inventé. Quand même !

Il m'a fallu à peu près trois mois pour l'apprendre (j'étais un peu niaiseux, à l'époque). Je ne comprenais pas pourquoi progressivement tout le monde avait arrêté de me parler tout en agissant de manière passive agressive avec moi. Jusqu'à ce qu'un de mes amis (j'en avais trois) me montre ce faux compte. On a pu voir ma stupéfaction depuis l'espace.

J'en ai vu de toutes les couleurs au secondaire. Souvent à la fin d'un cours, lorsque tous les élèves retournaient à leur casier pour prendre leur bouquin du cours suivant, il n'était pas rare d'entendre très fort dans le couloir « BONIN C'T'UNE TAPETTE ! » et d'autres trucs super amusants du genre. Chaque fois j'étais envahi d'une gêne immense. Surtout lorsque j'étais à côté d'une fille que je trouvais jolie. Disons que ce n'est pas super vendeur, être un *LOSER*.

Mais le summum et ça je vais m'en souvenir pour le reste de ma vie, c'est un matin lorsque mon père est venu me porter en voiture à l'école. Une *gang* de plus vieux m'attendait à la porte d'entrée de l'école donnant sur le stationnement. Au moment où j'ouvrais la portière de la voiture, ils ont tous crié en chœur : « BONIN C'T'UNE MARDE ! » Le sentiment de honte que j'ai ressenti à ce moment-là fut pire que de se chier dessus lors d'un exposé oral. Pas parce que je venais de me faire traiter de marde, mais parce que mon père venait d'assister à cette scène.

Jamais je n'avais parlé à mes parents de ce que je vivais à l'école. Pour moi, c'était un signe de faiblesse. J'avais peur de les décevoir. J'avais peur qu'ils aient de la peine si je leur disais que leur fils était un raté. À ce jour encore, ils ignorent tout des déboires de cet épisode de ma jeunesse. C'est par le biais de ce livre qu'ils vont l'apprendre. J'anticipe déjà l'appel de ma mère en pleurs…

Cœur de passionné

Malgré toutes ces insultes et l'enfer que représentait le secondaire pour moi, j'avais un puissant désir de m'impliquer à fond dans plein de projets. C'était carrément plus fort que moi. Je me suis présenté aux élections de niveau afin d'être sur le comité étudiant. J'ai participé à tous les spectacles organisés par l'école.

~

J'avais en moi ce profond désir d'être sur une scène devant un public, mais pas pour recevoir de l'amour ni pour prouver quoi que ce soit. Lorsque je montais sur scène, je pouvais être qui je voulais. Je pouvais m'évader de ma vie un bref instant et communiquer avec les gens par le biais de l'émotion.

~

C'est extrêmement difficile à décrire, ce qu'on ressent sur une scène. C'est comme si le temps s'accélérait pour ensuite nous inonder d'une puissante poussée d'adrénaline et soudain… plus rien n'existe dans l'univers, excepté ce lien puissant qui nous connecte avec le public. On vit quelque chose d'à la fois très intime et très intense. C'est un peu comme dans le film *Avatar*, lorsqu'ils connectent leur espèce de tresse bizarre ensemble pour faire l'amour. (Je sais, je suis nul à chier pour écrire des métaphores.)

C'est aussi lors de cette période que j'ai découvert le *skateboard*[2]. Un sport solitaire reposant uniquement sur

2. L'hiver je faisais du *snowboard*, mais j'ai retranché la partie du livre que j'y consacrais, parce que mon éditeur ne trouvait pas le passage pertinent. Moi non plus d'ailleurs. Bref, sachez-le, je fais du surf des neiges avec mon *snowboard*, qu'on appelle communément aussi *planche à neige*.

le dépassement de soi et l'acharnement. Pour quelqu'un d'intense et de solitaire comme moi, ce sport fut une véritable révélation. Fidèle à moi-même, dès le jour 1 j'étais complètement obsédé par le *skate*. Je me levais plus tôt le matin afin de pouvoir « *skater* » avant d'aller à l'école et aussitôt que j'entendais le son de la cloche, je filais en coup de vent, m'évadant dans les rues de la ville sur mon *skate*. Je consacrais mes fins de semaine entières à ne faire que ça.

J'étais tellement intense que j'ai même convaincu mon beau-père (le copain de ma mère) de faire construire un *skatepark* dans ma ville. Mon beau-père était le directeur des travaux publics, j'avais donc une bonne connexion. J'ai monté tout un plan et j'ai travaillé à la confection de ce *skatepark* avec les employés de la Ville et deux de mes amis un peu marginaux que je m'étais faits grâce à notre passion commune.

Mes parents ont vite compris que le chemin de vie que j'allais prendre allait être tout sauf normal. Ils ont bien vu que j'étais un passionné intense et très émotif, doté d'un cœur d'artiste.

C'est probablement pour cette raison qu'à mon 14e anniversaire mon père m'a offert un clavier. (Je parle d'un piano et non d'un clavier d'ordinateur. Franchement, ce serait quoi le but d'offrir un clavier d'ordinateur ? QUI DANS LA VIE OFFRE UN CLAVIER D'ORDINATEUR EN CADEAU ?)

C'est l'un des plus beaux cadeaux que j'ai eus. Du jour où je l'ai déballé, mes doigts n'ont jamais quitté le clavier. J'ai cette chance d'avoir la capacité de jouer par oreille. Les jours pluvieux où je ne pouvais pas sortir faire du *skate*, je m'installais dans le sous-sol, j'activais une chanson dans mes écouteurs et, note par note, j'apprenais à la jouer au piano. Ça pouvait prendre des heures voire des jours, mais tant que je n'étais pas capable de la jouer, je n'arrêtais pas.

Puis un beau jour, en fouillant dans les affaires de mon grand-père décédé, Marcel Bonin (à ne pas confondre avec l'ancien homme fort du Canadien de Montréal), je suis tombé sur sa caméra. Une Sony qu'il avait payée autour de 5 000 $ à l'époque. Mon grand-père[3] aussi était un passionné acharné. Son truc à lui, c'était les trains. Il pouvait passer des mois entiers dans sa cave à confectionner une maquette à l'échelle d'une gare de train avec un souci du détail irréprochable.

Il peignait beaucoup aussi. Lorsque j'allais chez mes grands-parents, je pouvais passer plusieurs heures à admirer en cachette chaque petit détail sur ses gigantesques toiles qu'il avait mis des mois à peindre. Il était extrêmement minutieux et cela m'impressionnait énormément.

J'ai eu la chance d'avoir une relation privilégiée avec mon grand-père. On parlait tous les deux le même langage. Un langage que peu de gens comprennent : celui de la passion. On pouvait passer des heures sur son établi à confectionner toutes sortes de trucs sans jamais échanger un seul mot.

Je me souviens, un jour, de lui avoir demandé : « Grand-papa, ça fait plus d'une semaine que tu t'acharnes à sabler ce bout de bois pour ton train. Pourquoi ? Personne ne remarquera la différence. » Il m'a répondu : « À quoi bon faire quelque chose si c'est pour le faire à moitié ? » Il m'a fallu beaucoup de temps pour comprendre le vrai sens de ces sages paroles. Aujourd'hui, je sais ce qu'il voulait me dire.

3. Où que tu sois, grand-papa, merci de m'avoir transmis ton savoir. Je t'aime. xxx

Que ce soit le chant, la danse, l'humour, l'écriture ou peu importe la forme d'art, si elle est faite dans le but de plaire ou d'impressionner les autres, ça ne marchera pas. L'art, c'est pour nous que nous le faisons. C'est avec passion que nous façonnons, et dans l'acharnement qu'on rend l'œuvre parfaite à nos yeux. C'est ça, être un artiste.

Bref, je venais de trouver un autre outil de création. Probablement celui qui a le plus d'impact sur ma vie. J'étais fasciné par cette caméra et toutes les possibilités qu'elle offrait. Je tripais fort à m'en servir. Cette caméra venait de m'ouvrir une nouvelle porte sur le monde. Je me filmais sans arrêt. J'allais ensuite montrer le résultat à mon père.

Je me souviens d'une fois (je suis crampé en l'écrivant) où je m'étais filmé pendant neuf minutes en train de jouer de la flûte à la manière d'un « ortho », déguisé en homme d'affaires avec un complet trop grand et une cravate attachée sur ma tête. J'avais obligé mon père à regarder cette vidéo au complet. Ç'a probablement été les neuf minutes les plus interminables de toute sa vie. (LOL)

~

Jamais je n'ai senti ni chez mon père ni chez ma mère que je les dérangeais quand je leur demandais de regarder mes réalisations. Même si elles étaient la plupart du temps totalement minables. J'ai toujours eu le sentiment que mes parents m'appuyaient dans ce que je faisais. Je leur suis extrêmement reconnaissant pour ça. Ils m'ont laissé l'espace de création absolu dont j'avais besoin pour exister.

~

Mine de rien, je commençais à avoir le vent dans les voiles ! Mon chemin devenait de plus en plus clair. Le piano, les films, les spectacles, le théâtre, le *skateboard*. Je commençais à prendre confiance en moi, j'avais des amis ; je n'étais pas le meilleur à l'école, mais j'avais des notes acceptables : 60 % ben *flush* dans toute discipline. J'étais même dans l'option art dramatique en secondaire 4. J'étais bien, j'étais heureux : qu'est-ce que je pouvais demander de mieux ! J'étais même tombé éperdument amoureux d'une fille extraordinaire que j'aimais plus que tout au monde. Rien n'aurait pu briser le bonheur que me procurait ma vie parfaite !

Ma vie

Chapitre 3 : la débauche de mes secondaires 4 et 5

L'ostie d'option-théâtre

Le cours d'art dramatique de secondaire 4 était un genre d'atelier préparatoire pour le vrai cours qui se donnait l'année suivante: l'option-théâtre, dans la cour des grands! Pour moi, faire cette option était d'une importance capitale. Je savais que j'étais un artiste dans l'âme et je tenais plus que tout au monde à travailler dans ce milieu plus tard. Si par malheur je n'étais pas choisi, cela voulait dire que je n'avais plus aucune chance de réaliser mon rêve.

Les deux options étaient données par la même professeure. J'adorais le cours d'art dramatique. J'étais bon et tout le monde était persuadé que plus tard j'évoluerais dans le domaine artistique. Tout le monde. Même Dieu.

Tout le monde sauf la professeure. Elle, elle ne me parlait pas beaucoup et me donnait rarement des conseils. Je lui demandais souvent son avis sur mon jeu, ma présence sur scène, etc. Mais chaque fois c'était une réponse à la va-vite du genre : « Oui, oui, c'est beau, continue ». *Well*, mes notes en art dramatique étaient rarement en bas de 90 %, donc je ne m'en faisais pas trop avec ça. Ma place en option-théâtre l'année suivante était assurée et c'est tout ce qui m'importait.

À la fin de l'année scolaire, il nous fallait passer le test ultime afin d'être acceptés dans l'option-théâtre : une audition. Nous devions apprendre un texte de notre choix par cœur et le réciter seuls sur scène devant la prof afin qu'elle nous évalue. Pour ma part, j'avais décidé de réciter un texte humoristique de Mario Jean. Non seulement je le connaissais sur le bout de mes doigts, mais de plus, c'était de l'humour. Mon jeu devait donc être impeccable afin que ce soit drôle, et c'est ce que j'ai fait. Un sans-faute. J'avais pratiqué mon numéro mille fois ! Pour moi, être dans cette estie d'option était primordial, car je n'étais bon dans aucune autre matière. C'était ma dernière chance d'avoir un avenir. Qu'allais-je faire de ma vie sinon ?

Deux semaines plus tard, une liste a été collée sur la porte de la classe de théâtre contenant les noms des élèves sélectionnés pour faire partie de l'option-théâtre l'année suivante. Je ne suis même pas allé la voir afin de vérifier si mon nom y figurait. Je n'avais pas besoin de le faire. Il était certain que mon nom apparaissait sur cette foutue liste à la con de merde.

En après-midi, un de mes amis est venu me voir en me disant qu'il était désolé pour moi et que c'était vraiment dommage que l'enseignante ne m'ait pas sélectionné. Je me suis littéralement étouffé avec ma gorgée de jus d'orange. « PARDON ! » Je me suis empressé d'aller vérifier par moi-même. Effectivement, mon nom n'était pas sur la liste. Sur 24 élèves qui ont auditionné, 22 ont été sélectionnées : 22 filles. Et les deux refusés ? Deux gars. Mais il n'était pas question de sexisme ici.

La prof m'a convoqué en présence de la directrice adjointe afin de m'expliquer son choix. Selon elle et je la cite : « Il s'est assis sur son talent lors de l'audition ». Donc, pour cette raison, je n'allais pas faire l'option-théâtre l'année suivante. Et c'est tout. Fin. Point barre.

La seule motivation pour finir mon secondaire venait de s'évaporer en une seconde. Tout ça à cause d'une prof qui a sûrement dû devoir bûcher toute sa vie pour finir par devenir une simple professeure de théâtre, car elle n'avait pas 1 % de mon talent naturel. Une prof probablement bourrée d'amertume et de jalousie qui n'a jamais réussi à réaliser ses rêves.

Chose certaine, j'ai ce geste immonde gravé sur mon cœur à jamais et je me suis juré d'un jour lui prouver qu'elle avait tort à mon sujet. Alors voilà : j'ai animé une émission de télé en direct à MusiquePlus qui s'appelait *Bonin*, j'ai fait des spectacles d'humour un peu partout au Québec, je suis suivi par 165 000 personnes dans Internet et je te raconte tout ça dans un livre distribué partout au Québec. TU AVAIS TORT, madame la maîtresse.

L'Amour avec un grand A

Un soir d'été de mes 14 ans, mes amis et moi étions allés voir un film avec des filles. Aucune idée de qui elles étaient.

Elles connaissaient mes deux amis, je crois, ou un truc du genre. Il y avait pas mal de monde au cinéma ce soir-là. Tous des jeunes de mon âge qui se connaissaient entre eux. Sautons les détails plates et inutiles. Au beau milieu du film, j'ai demandé les clés de sa voiture à mon ami et je suis allé « frencher » avec une fille que je ne connaissais pas dans le char de mon ami.

Je ne sais pas trop exactement combien de temps cela a duré, mais je peux dire que ce fut assez long puisque, à notre sortie de la voiture (aux vitres embuées), une dizaine de personnes nous ont applaudis. Parmi eux, une autre fille. Je l'ignorais encore, mais cette autre fille allait changer le cours de ma vie.

J'ai appris plus tard qu'elle était à l'origine des applaudissements ce fameux soir-là. C'est comme ça qu'on s'est rencontrés. Après une séance de *necking* avec une parfaite inconnue. Disons que j'ai déjà entendu des histoires de première rencontre plus romantiques que celle-ci, mais c'était la nôtre et ce qui est fait est fait. Je ne me souviens plus trop de qui a approché l'autre en premier. Je crois que ça s'est fait mutuellement. On s'est écrit sur MSN un soir puis au cours de notre discussion on s'est avoué tous les deux notre désir de nous revoir.

On est rapidement devenus les meilleurs amis du monde. Je me souviens qu'au tout début, elle était extrêmement timide. Elle ne parlait pas beaucoup, mais je sentais quelque chose en elle. Une fougue enfouie sous des souvenirs malheureux qui la bloquaient. Je savais que sa timidité n'était pas naturelle. J'ignorais ce qui l'avait rendue ainsi et je ne voulais pas trop le savoir. C'était ses démons à elle et je ne voulais en aucun cas la brusquer avec ça. Je me suis alors donné comme mission de lui faire découvrir une autre facette de la vie. Plus colorée, plus scintillante et plus belle.

J'essayais donc de faire en sorte que chaque moment passé avec moi devienne un souvenir inoubliable pour elle, afin qu'un jour il puisse y en avoir assez pour effacer de sa mémoire les mauvais. Je la faisais constamment rire. Je faisais semblant de m'évanouir dans une rangée de boutique de centre d'achats devant tout le monde pour la faire sourire et surtout pour lui faire voir le contraire de la gêne.

Puis un jour, lorsque j'étais dans sa chambre assis en Indien avec elle en train de lui montrer des dessins stupides que je lui avais faits tout en improvisant une histoire autour de ceux-ci, j'ai senti que quelque chose venait de changer soudain en elle. Elle s'est levée subitement et elle a commencé à déconner avec moi. Je venais de gagner sa confiance.

J'avais là sous mes yeux sa vraie personnalité. C'est à ce moment précis, je crois, que ça s'est fait. L'Amour avec un gigantesque A venait de nous frapper tous les deux de plein fouet, et rien au monde n'aurait eu la puissance de briser ce lien qui venait de nous unir.

Nous étions inséparables. Je passais mes soirs de semaine entiers à lui parler au téléphone à défaut de pouvoir la voir, puisque nous n'allions pas à la même école. Jamais nous n'avons ressenti la distance qui nous séparait. La seule personne qui la ressentait, c'était mon père qui devait payer les factures d'interurbains que je lui montais. Je finissais l'école à 16 h, j'étais chez moi à 16 h 20 et je lui parlais au téléphone de 16 h 21 jusqu'à 23 h.

Imaginez-vous la face de mon père lorsqu'il a vu la facture de 875 $ d'appels interurbains en un mois. (Je pleure de rire en écrivant ces lignes. J'm'excuse, papa.) Il a même fallu que nos parents prennent un abonnement spécial afin qu'on puisse continuer de s'appeler, car il était tout simplement impossible de nous empêcher de nous parler à défaut de nous voir. Nous regardions l'univers avec la même lentille à l'intérieur d'une bulle en titane que nous nous étions construite.

Bon, juste pour les sceptiques disant qu'il est impossible de voir à travers le titane, je précise que nous avions fait un genre de trou dans notre bulle pour y mettre une grosse crisse de fenêtre pare-balles. (C'EST BON ? ON PEUT POURSUIVRE ?)

Je suis persuadé que peu de gens auront la chance de vivre un amour aussi passionnel et sincère que celui que nous avons vécu. C'est comme un phénomène naturel résultant d'un nombre faramineux de circonstances hasardeuses provoquant quelque chose d'unique qu'il est possible d'observer l'espace d'un bref instant une fois tous les mille ans.

J'ai tout mis de côté dans ma vie pour cette fille et ce n'est pas un reproche. Je l'ai fait de plein gré. Je préférais être avec elle plutôt qu'au *skatepark*. Je préférais entendre le son de sa voix plutôt que celui de mon piano. Je préférais la faire rire, elle, plutôt qu'un public. Elle était tout ce qui comptait pour moi. Je pense que ce qui nous soudait si fort l'un à l'autre était notre sens de l'humour identique. Vous ne pouvez pas savoir à quel point on a ri ensemble. On déconnait, on était jeunes, tout était parfait.

Puis, un beau jour, je l'ai laissée.

Je me suis souvent demandé pourquoi j'ai fait ça. Je n'en ai aucune idée. Je l'ai fait, c'est tout. Pour aucune raison valable. C'était vers la fin de mon secondaire 4. L'été s'en venait, j'avais 16 ans, peut-être que je voulais vivre ma jeunesse ? Je sais pas. C'est un flou général dans ma tête quand je repense à cette période précise.

J'ai longtemps pensé que c'était simplement pour aller voir ailleurs. Vous savez, à cet âge… mais non. Je me foutais éperdument des autres filles, car j'avais déjà la bonne. Celle qui me rendait heureux. C'est le premier geste irrationnel dénué de sens que j'ai fait dans ma vie. C'est à cette période que ce qui clochait dans ma tête a surgi de nulle part.

Début de mes phases circulaires de bipolarité

[***Down***] Peu de temps après notre rupture, j'apprenais qu'elle fréquentait quelqu'un d'autre. J'étais totalement anéanti, mais c'est lorsque j'ai appris que ce quelqu'un d'autre était un de mes amis que j'ai vraiment été démoli. Dès ce moment, tout ce que je voulais, c'était de regagner son cœur.

L'été de mes 16 ans fut une période extrêmement douloureuse. J'étais au cœur d'un triangle amoureux et chaque fois que je la retrouvais, je la perdais de nouveau. Le vainqueur de cette joute amoureuse a finalement été mon ami. J'ai appris une semaine avant de commencer mon secondaire 5 qu'ils formaient un couple.

Je vivais ma première peine d'amour. Il n'y a pas de mot dans aucune langue connue pour décrire la douleur qui m'habitait. Ma confiance était anéantie et mon estime de moi, complètement détruite, car tout ce qui m'arrivait était uniquement de ma faute attribuable à un geste que j'avais posé moi-même, auquel je ne trouvais aucune explication. De plus, la seule chose qui me motivait à poursuivre l'école venait d'être balayée du revers de la main.

C'est dans cet état que j'ai entamé mon secondaire 5…

Ma sublime dernière année du secondaire

J'ai littéralement saboté mon année scolaire. Poussé par la douleur et la tristesse, j'étais devenu une véritable nuisance envers moi-même. Les soirs, je me tordais de douleur dans la solitude, et le jour à l'école, j'étais une vraie bête. Les salles de cours étaient des salles de spectacle, les règles étaient des obstacles et ma vie… un échec.

Tout ce qui me passionnait avait pris le bord. *Fuck* la caméra, *fuck* les spectacles, *fuck* le piano, *fuck* le *skate*, *fuck* l'amour, *FUCK* TOUTE !

J'en ai fait voir de toutes les couleurs à cette école. Je me lançais sur les murs de la classe en plein milieu d'un cours, je faisais des bricolages avec mes examens de fin d'étape. Un jour, parce que je trouvais que les collations de la cantine étaient trop chères pour les élèves, j'ai amené un grille-pain et je l'ai branché en plein milieu du couloir pour vendre des toasts aux élèves 1 $ moins cher que celles de la cafétéria. Rien ne m'arrêtait et je me crissais éperdument de tout !

Ajoutez à ça ma peine d'amour et tout le reste… mon secondaire 5 c'était le putain de débarquement de Normandie. D'ailleurs, c'est ce que j'avais l'intention, de faire après l'année scolaire, de m'enrôler dans l'armée. Je voulais être soldat d'infanterie, plus précisément. J'avais entrepris toutes les démarches nécessaires. J'avais les aptitudes requises et ma demande était envoyée. Vous imaginez la réaction de ma mère lorsque je lui ai annoncé la nouvelle? Mais elle a rapidement compris que rien ne m'en empêcherait. J'avais la rage. La rage de vivre.

Je ne m'enrôlais pas pour aller tuer ni pour mourir. J'allais au combat pour souffrir. Pour me défouler et pour me faire pousser jusqu'au bout de mes limites. J'avais besoin d'évacuer tout ce qui me rongeait de l'intérieur.

Je faisais donc du temps en secondaire 5, car pour être admis dans l'armée, il nous fallait le secondaire 4, que j'avais déjà terminé avec succès. Je trouvais donc que c'était absolument inutile de faire ma 5e année, mais il était inconcevable que je décroche de l'école. Mes parents m'auraient tué. Je « faisais » donc du temps. Dans les examens du ministère, j'exécutais des dessins sur la ligne où nous devions écrire les réponses. Je pouvais aussi écrire des poèmes qui partaient de la question 1 jusqu'à la dernière. Tout dépendait de mon inspiration du moment.

L'armée ne m'a jamais rappelé finalement. J'attends toujours leur appel, d'ailleurs. Je trouve que c'est un peu long, 10 ans d'attente. Je vais leur dire en titi!!!

L'après-bal

[***High***] Je me foutais éperdument de tout, sauf d'une chose. Un événement important dans la vie d'un adolescent: le bal des finissants. Plus précisément: L'APRÈS-bal des finissants. Je voulais absolument l'organiser. J'avais des raisons bien à moi...

J'ai donc trouvé un partenaire et nous avons annoncé à tout le monde notre désir d'organiser tout le party. Nous avons rapidement lancé une prévente de billets et, à 20 $ l'unité, nous avons rapidement récolté un bon capital afin de commencer notre activité.

Notre plan était simple: organiser le plus gros et le plus *nice* des après-bals de toute l'histoire des après-bals dans tout le cosmos. On voyait très grand. La première étape consistait à trouver l'emplacement idéal pour la tenue de ce gigantesque party.

Le comité organisant le bal des finissants avait choisi de le produire dans l'aréna de ma ville. Et qu'est-ce qu'il y avait en face de cet aréna? Un énorme parc contenant deux terrains de baseball. Non seulement il y avait assez de place, mais en plus notre terrain était situé directement en face de l'endroit où se tenait le bal. Ce qui faciliterait le transfert des gens. On évitait donc de perdre du monde qui aurait pu trouver que l'emplacement de notre évènement était trop éloigné.

C'était donc réglé, jusqu'à ce que le maire de la ville reçoive une lettre de la part de la direction de l'école. Cette lettre lui expliquait qu'il fallait absolument empêcher la tenue de l'après-bal en face du bal. Pour les autorités, l'après-bal était synonyme de beuverie et elles ne voulaient pas y être associées. En fait, la vraie raison c'était que la direction avait peur de perdre tout son monde trop tôt dans la soirée, puisque le vrai party se situait juste en face. Ouais, la direction de mon école a tenté de me mettre des bâtons dans les roues jusqu'à la fin ! Pas de chance pour elle, le maire était un bon ami de mon beau-père.

Je m'en souviendrai toujours. Un soir, mon partenaire et moi étions chez moi en train de travailler aux préparatifs de notre party et quelqu'un a cogné à la porte. C'était le maire en personne. Il nous a invités à nous asseoir avec lui à la table de ma cuisine, puis il dit en mettant la fameuse lettre sur la table : « Bon ! Qu'est-ce que je leur réponds ? » Je… Comment dire… Vous savez, ce sentiment de victoire profond que l'on ressent lorsqu'on a finalement le dernier mot face à un ennemi qui vous met des bâtons dans les roues depuis le début des temps ? Ben j'ai ressenti ça, mais multiplié par un million.

Pour le maire, il était inconcevable qu'un établissement scolaire s'oppose à deux jeunes élèves travaillant sur un projet qui allait leur enseigner les rouages de l'entrepreneuriat et de l'évènementiel. Et c'est ce qu'il a répondu à la direction d'école dans une lettre écrite à la main. Mais la direction n'avait pas dit son dernier mot… (*TEASER* DE FEU !)

Maintenant qu'on avait le champ libre sur l'emplacement, il nous fallait passer à la phase 2 : qu'allait-il y avoir dans ce party ? Comment la soirée allait-elle se dérouler ? Avions-nous besoin de sécurité ? Comment allions-nous empêcher d'entrer les gens trop vieux et ceux qui n'avaient pas payé ? Y aurait-il de l'alcool ? Et s'il pleuvait le soir de notre évènement ? J'ai honnêtement vraiment tripé à organiser tout ça. C'était un énorme projet et cela m'a permis de concentrer toutes mes énergies là-dessus. Cela m'a permis d'oublier le reste, en quelque sorte.

Nous avons réglé une bonne partie des problèmes, mais il nous fallait refaire une prévente de billets afin d'avoir assez d'argent pour nous procurer tout ce dont nous avions besoin.

Le fonctionnement de la prévente était simple : nous avions commandé 1300 bracelets que nous avions tous signés à la main. Les élèves venaient nous voir à notre casier avec leur 20 $ et on leur donnait un bracelet en échange.

Un beau matin, nous avons été convoqués, mon partenaire et moi, dans le bureau de la direction. On s'est fait annoncer que la prévente de billets sur le territoire de l'école était maintenant interdite. Ils ne nous lâchaient pas, les tabarnaks ! Mais quand je veux quelque chose, il vaut mieux ne pas se mettre en travers de mon chemin.

On s'est donc renseignés sur les limites du territoire de l'école. Mon partenaire et moi avons éclaté de rire lorsque nous avons appris qu'une des limites se trouvait sur le trottoir juste en face de la sortie de l'école, celui-là même que la totalité des élèves empruntait pour rentrer chez eux chaque jour. On s'est donc fait des T-shirts sur lesquels nous avons inscrit : « Pour votre bracelet, rendez-vous à la sortie de l'école » et chaque jour, nous restions là à récolter les billets de 20 $.

La deuxième prévente fut encore plus payante que la première. Avec cet argent, nous pouvions maintenant acheter tout le nécessaire afin de faire de cet après-bal le plus beau party de l'histoire de la Terre et d'une partie de Saturne. On a tout dépensé jusqu'à la dernière cenne par souci d'intégrité. Notre but n'était pas de faire de l'argent sur le dos de nos amis, mais bien de leur offrir le party de leur vie.

Bref, on y a mis le paquet. On était bien préparés, on avait respecté l'échéancier et il nous suffisait d'attendre. Évidemment, on avait fait circuler l'info dans toutes les écoles secondaires de la région. On était donc prêts à recevoir pas mal de monde.

Le bal des finissants a finalement eu lieu. J'y suis allé accompagné d'une amie plus vieille qui avait gentiment accepté de ne pas me laisser y aller seul. Je suis arrivé là en camion de pompiers. Dans la file d'attente, on s'est fait avertir d'éteindre les lumières et la sirène parce qu'on volait la vedette aux autres arrivants. Oups. Pour tout vous dire, je n'en avais rien à foutre de cette cérémonie. Cette école m'avait suffisamment fait chier.

J'ai quitté le bal assez tôt afin de m'assurer que tout était prêt, puis les gens commencèrent à arriver. La popularité de l'événement nous a complètement dépassés, mon partenaire et moi. On savait déjà après les 30 premières minutes que cette soirée allait être au-delà de nos attentes. Mais pour moi, le véritable but de toute cette opération allait enfin se concrétiser. Je l'avoue dans ce livre, j'avais une autre motivation derrière l'organisation de ce party.

[***Normale***] Ce soir-là, je suis resté assis devant la caisse enregistreuse. Un party de fous se déroulait derrière moi, mais je n'en avais rien à foutre. J'allais enfin vivre le moment que j'appréhendais depuis des mois. Au début de la soirée, j'avais distribué une photo à tout le *staff*, avec la consigne d'interdire l'entrée à deux personnes. Il s'agissait de mon ex et de son chum, alias mon prétendu ami. Au bout d'une heure d'attente, ce moment arriva enfin. Je suis resté là, assis sans broncher, sans émotion, à les regarder se faire refuser l'accès au plus cool des partys de notre galaxie.

Je suis rentré chez moi tout de suite après. J'estimais que moi non plus je n'avais pas droit d'aller à cette fête. Je venais de me venger d'une situation que j'avais moi-même créée. J'estimais que de cette manière nous étions tous quittes, en quelque sorte. Je me suis refusé moi-même l'accès à mon propre party. Et c'est tout ce que je méritais.

Encore aujourd'hui on parle de cet après-bal comme du plus beau et plus cool des après-bals à avoir été fait dans mon coin. Jamais personne n'a réussi à égaler le succès de notre soirée. Tout ça pour une fille…

C'est ainsi que s'est terminé mon interminable secondaire.

III

Période dépressive phase 3 : déroute

Une vieille connaissance est réapparue ce matin à mon réveil : l'anxiété. *Nice.* Je ne vais vraiment pas bien en ce moment. J'ai l'impression d'être un mélange ambulant d'émotions non compatibles. J'ai envie de dormir, mais je suis trop stressé. Je me sens comme une merde, mais je suis motivé. J'ai envie d'être actif, mais je n'ai pas plus de forces.

J'ai vraiment l'impression que le seul effet que me procure le Seroquel, c'est le sentiment de m'être fait frapper par une navette spatiale. J'ai dormi, beaucoup. Un sommeil très dur. Normalement je me réveille pour un rien, mais là, un gorille aurait pu me sodomiser de manière brutale sans que je me réveille.

Je ressens donc les effets anesthésiants du Seroquel, mais mon anxiété parvient quand même à se frayer un chemin en plus de ne pas régler le fait que je me sens de plus en plus déprimé. Ce n'est pas une bonne chose, puisqu'en ce moment je souffre beaucoup et je ne sais pas quoi faire. J'ai peur, je suis nerveux, je suis déconcentré pour un rien, j'anticipe toutes sortes de scénarios catastrophiques et j'ai physiquement mal au thorax à cause d'une anxiété excessivement présente du matin jusqu'au soir. Des idées noires commencent à me traverser l'esprit…

Je ne comprends pas du tout ce qui m'arrive en ce moment. Hier soir, j'ai pris ma dose et je n'ai ressenti aucun effet comparativement aux autres soirs. Rien, *nada*. Comme si c'était un placebo. Je suis dépressif et j'ai l'littéralement l'impression de gober des M&M pour m'aider à aller mieux. Je souffre d'insomnie jusqu'à 4 ou 5 h du matin maintenant et tout devient de plus en plus noir dans ma tête.

(Deux jours plus tard)

Côté mental, c'est un peu étrange. J'ai l'impression que tout est en suspens dans mon corps. Je ressens ma fougue et mes émotions, mais c'est comme si tout était figé dans un bloc de glace. C'est très étrange comme sensation. J'ai lu que le Seroquel « provoque une déconnexion entre le néocortex, siège des fonctions de l'apprentissage, et le cerveau reptilien qui régit la vie végétative » ; c'est peut-être ce qui explique mon sentiment en ce moment. Je sais que mes émotions sont là, mais je n'y ai pas accès puisqu'il y a une coupure de courant du circuit ou un phénomène du genre.

Je me trouve vraiment stupide. Je viens de relire tout ce que j'ai écrit à date et je trouve ça mauvais, mais bon c'est écrit, alors je le laisse. Pour tout vous dire, je n'ai plus aucune confiance en moi et je considère que tout ce que je dis ou fais est stupide. C'est comme ça que je me sens aujourd'hui.

(Un jour plus tard, genre)

J'ai longuement réfléchi après l'écriture de l'histoire sur l'après-bal. Je me suis posé beaucoup de questions sur moi. Suis-je un monstre ? Pourquoi j'ai fait ça ? Quelqu'un à qui j'ai parlé pense que j'ai un trouble de l'attachement. Tiens, une autre affaire à mettre sur la liste de mes problèmes. Ce machin truc entraînerait une incapacité d'être aimé. Lorsqu'il se manifeste, je ressentirais le besoin de tout détruire pour me protéger ou un truc du genre. Je ne suis pas vraiment allé lire là-dessus, pour tout vous dire. Un problème de plus ou de moins, qu'est-ce que ça va changer ?

Puis j'ai repensé au livre en entier et aux souvenirs qui s'y rattachent. Cela m'a pas mal déprimé. Du genre que j'étais aussi déprimé qu'un *dude* qui a raté sa tentative de suicide par pendaison et qui est maintenant paraplégique pour le restant de sa vie. J'avais besoin de me changer les idées un peu. J'ai donc décidé de ne pas prendre ma pilule et de plutôt me diriger vers le bar.

Je me suis saoulé en bonne et due forme. En plus, j'ai mis 5 $ dans une machine et ça m'a rapporté 130 $! Raison de plus pour fêter, non ? Je me suis vraiment éclaté la gueule. Je ne me souviens plus trop du milieu de ma soirée, mais je me souviens d'avoir fait un *after*-party chez moi. On a été 5 fêtards à veiller jusqu'à 7 h du matin. Disons que je commençais à être mêlé comme un balai.

J'avais besoin de m'évader de ma vie de marde le temps d'un bref instant. C'était la première fois que je faisais un peu la fête depuis mon premier rendez-vous chez mon médecin. C'est ironique, car au moment d'écrire ces lignes, la chanson *Mauvais caractère* des Colocs tourne à la radio. Je trouve que ça exprime bien comment je suis. Désolé, je suis comme ça et il n'y a rien à faire avec mon cas. Je n'en ferai toujours qu'à ma tête, même si cela va toujours m'apporter mon lot de problèmes. Toutefois, je sens que quelque chose est en train de se casser en moi : ma fougue. Ce n'est peut-être pas une si mauvaise chose. Elle ne m'a apporté que malheurs et tristesse durant toute ma vie. Je me dis que de perdre ma *drive* va peut-être me permettre de vivre sans nécessairement être obligé de rouler à 200 km/h…

(Je ne sais pas combien de jours plus tard)

Je me suis levé ce matin avec une bonne humeur incroyable. Comme si le nuage gris au-dessus de ma tête venait soudainement de disparaître. Je me sens bien et vivant. J'ai envie d'exister. On dirait que je ne vois que des solutions en ce moment.

C'est quand même *weird*. Je n'ai pourtant absolument rien changé. J'ai fait de l'insomnie jusqu'à 3 h du matin, je me suis levé à midi et hop ! Tout va bien et je suis heureux sans raison ! Je vais en profiter le temps que ça passe, car j'ignore quand la noirceur me frappera à nouveau. C'est ce qui est le plus difficile, je trouve... de toujours être sur mes gardes. De ne jamais vraiment pouvoir profiter du beau, car je sais que c'est pour une durée limitée.

Hier je fixais le crochet qui retient le punching-bag au plafond chez moi en me demandant s'il allait supporter mon poids, et voilà qu'aujourd'hui je suis en train de parler de beauté. Comment suis-je censé interpréter ça ? Quelle leçon dois-je en retirer ? Est-ce qu'il y a quelque chose à comprendre : c'est ma bipolarité ou le Seroquel qui fait son œuvre, ou les deux ?

(Un jour plus canard) (LOL)

À force d'être à la campagne, me poussant à réfléchir sur moi, la personne que j'étais et celle que je suis devenue, j'ai compris quelque chose. Quelque chose qui revient systématiquement chez moi : la rancune. Vous avez pu le constater par vous-même : ce livre est bourré de rancune. Envers mes parents qui se sont séparés, envers ma mère qui criait, envers mon prof de théâtre, mon ex, et surtout envers moi-même. Je prends conscience que ce n'est pas sain. On ne peut pas passer toute une vie à en vouloir à la terre entière. Même si on a les meilleures raisons au monde. Ce n'est pas sain. Ni pour le corps ni pour l'esprit.

Je me sens plus léger depuis quelques jours. J'ai eu une solide discussion avec ma mère après lui avoir lu ce que j'avais écrit jusqu'à présent. Elle a appris beaucoup de choses sur moi qu'elle ignorait. On s'est parlé puis je lui ai pardonné. Pardonné pour de vrai et c'est comme si on venait de retirer la moitié du poids excessivement lourd du noyau de la Terre de sur mon dos.

Les pilules sont là uniquement pour apaiser les symptômes. Oui, je vais probablement avoir besoin d'en prendre toute ma vie, car j'ai un réel problème de santé mentale. Il est là. C'est physique et je ressens physiquement les conséquences, mais ce que j'oublie dans cette équation de cause à effet, et là je vous avertis, je vais faire une métaphore boiteuse: c'est comme de réparer la crevaison de ta voiture. Cool. Mais si tu ne sais pas conduire, tu n'es pas plus avancé. Vous comprenez? Je dois donc apprendre à vivre le plus normalement possible sachant ce qui se trame dans ma tête.

Ce qu'on ne nous dit pas en nous prescrivant un pot de pilules, c'est qu'avec ça vient tout un travail d'introspection sur notre vie. J'ai beau prendre des pilules pour réguler mes humeurs et mon anxiété afin de combattre ma maladie mentale, si je m'en veux pour le reste de ma vie à cause de mes choix stupides, je vais quand même être malheureux.

Je suis persuadé qu'il faut apprendre à tourner la page, à pardonner aux autres qui n'ont malheureusement pas su nous gérer dans toute notre complexité au cours de notre vie et surtout à NOUS pardonner. Ouais, on a un problème. Ouais, il sera là toute notre vie. Fa qu'on fait quoi ? On reste dans son coin en continuant de s'isoler du monde entier pour se protéger et on continue d'être en tabarnak contre l'univers ?

Ma vie

Chapitre 4 : la destruction de mon existence

Ma première vraie job

[*Down*] Après l'été de mon secondaire 5, n'ayant toujours pas eu de nouvelles de l'armée, je me sentais quelque peu perdu. À 17 ans, je traînais un lourd bagage d'émotions et je n'avais aucune idée de la direction que je devais prendre dans ma vie. Rien ne m'intéressait et, de toute façon, je ne savais même pas qui j'étais moi-même...

Mais je devais travailler. Avec l'argent qu'on avait amassé le soir de l'après-bal, 1500 $ chacun. (Chose complètement imprévue. Les finissants des autres polyvalentes du coin sont venus fêter avec nous en si grand nombre que nous avons réussi à faire du profit !) Je m'étais acheté une Honda Civic

DX bleue. (Ce dernier détail était complètement inutile, je sais.) Avoir une voiture nécessite une source de revenus ; la plaque d'immatriculation, le gaz et tout le reste, rien de cela n'est gratuit. J'ai donc trouvé un travail et je me suis aussi inscrit à l'école des adultes pour finir mon secondaire 5. Tout ce qu'il me manquait, c'était mon cours de français, pour obtenir ce foutu diplôme. C'est tout de même ironique d'apprendre que j'étais nul en français dans un livre que j'ai moi-même écrit, vous en conviendrez.

Je travaillais le soir dans une usine et j'allais à l'école le jour. J'ai fait ça pendant deux semaines et j'ai fini par lâcher l'école. Ce n'était tout simplement pas ma place, car j'étais incapable de me concentrer. J'ai donc arrêté d'y aller. Pas de mot ni d'avertissement. Rien. Je n'y suis juste jamais retourné. Mes effets personnels sont probablement encore là, quelque part sur une tablette de la honte avec les effets personnels des autres élèves qui ont fait comme moi.

J'avais besoin de travailler avec mes muscles et non avec ma tête afin de ne pas virer fou. Je travaillais dans une usine de galvanisation de métal. En gros, cette usine recevait des pièces de métal en tous genres allant d'un châssis de remorque jusqu'aux tubes de lampadaires qu'on voit sur les autoroutes. On recevait ces pièces de métal noires et rouillées, puis on les traitait pour ensuite les tremper dans un gigantesque bassin rempli de zinc liquide chauffé à 834 degrés Celsius. (Je me souviens encore de ce chiffre : ma super capacité de me souvenir des détails inutiles a encore frappé !) Une fois que c'était fait, on renvoyait les pièces aux clients.

Je travaillais 8 heures par jour à soulever des pièces de 2 à 100 livres (45 kilos) pour les accrocher à bout de bras à l'aide de crochets, de broche ou de chaînes (tout dépendant du poids de la pièce). Une fois celles-là chargées, un autre employé venait chercher la cargaison puis on recommençait. On faisait ça toute la journée. Je gagnais 13 $ de l'heure.

Mon département était le plus sale, car les pièces arrivaient comme je l'ai dit dans un piètre état, recouvertes de rouille et de marde, comme je l'ai mentionné. Je forçais comme un malade pour finir ma journée recouvert de marde afin d'avoir une paye de marde. Bienvenue dans le merveilleux monde des adultes, Matthieu ! Quand je n'étais pas à l'usine, j'étais au bar en train de me saouler pour oublier l'échec lamentable de ma misérable existence. Plus rien ne me motivait et plus rien ne m'émerveillait. J'errais à travers le temps sans but, attendant que ma vie se termine.

Rayon de lumière : ambition quand tu nous tiens

[***High***] Ce travail que je détestais au départ est devenu ma seule raison d'être. J'étais acharné, voire déchaîné, lorsque je travaillais. Ma vie était maintenant mon travail. C'était la seule chose que je faisais et, par conséquent, la seule qui me valorisait. Ce travail faisait en sorte que mon existence n'était plus vaine.

J'ai tout appris sur le fonctionnement de l'usine. J'étais capable de faire toutes les jobs disponibles. Ce qui fait que mon dévouement, mon acharnement et surtout ma grande gueule m'ont finalement valu un poste supérieur. J'étais maintenant chef d'équipe. J'avais enfin accompli quelque chose et pas sous les yeux de n'importe qui : mon père.

Car, en effet, je travaillais avec mon père. En fait, je travaillais POUR mon père. J'ai volontairement omis d'écrire ce détail d'entrée de jeu, de peur que vous pensiez que ma promotion était attribuable au fait que mon père était le contremaître en chef de l'usine. D'aucune manière le fait que je travaillais pour mon père n'a eu d'impact sur quoi que ce soit. Au contraire, je devais travailler en double pour justement prouver à tout le monde que j'avais ma place et que je n'avais pas de passe-droit pour quoi que ce soit.

Je me souviens d'une fois lors d'une grosse réunion d'équipe où j'avais contesté une de ses directives… contesté étant un grand mot puisque j'avais à peine eu le temps de dire « oui, mais papa… » qu'il s'était mis sur mon cas en y allant d'une engueulade digne de l'instructeur mongol (le sergent Hartman) qu'on voit au début du film *Full Metal Jacket.* « ICITTE JE NE SUIS PAS TON PÈRE, MAIS TON BOSS. TU TE PRENDS POUR QUI POUR ME COUPER LA PAROLE ? Blablabla. JE VAIS TE SUSPENDRE DEUX JOURS POUR ÇA. Blablabla. J'*overreact* pour être bien sûr que personne ne pense que je te fais des faveurs et je sais que tu comprends ce que je fais en ce moment, mon fils. C'EST LA DERNIÈRE FOIS QUE TU FAIS ÇA, SINON TU PERDS TA *JOB*. C'TU CLAIR ? » Bon, c'est comme ça que j'ai interprété son engueulade, mais peu importe.

Cette période nous a permis de nous rapprocher davantage. J'estime que c'est à cette époque précise que mon père a commencé à me traiter en adulte. Avec mes agissements des dernières années, il était certainement découragé. J'ai pu lui prouver que j'étais travaillant et que j'avais une tête sur les épaules.

J'ai travaillé fort afin de faire mes preuves en tant que chef d'équipe. Je travaillais comme un malade. Parfois je me tapais 24 heures d'ouvrage. Je travaillais sur le *shift* de jour, de soir et de nuit avant d'aller me coucher quelques heures dans ma voiture pour ensuite recommencer. C'était durant la période des vacances. Il manquait beaucoup de personnel et puisque j'étais en mesure de remplacer tout le monde, je le faisais. Je n'ai jamais pris de vacances de toute ma vie. Je n'en ai jamais ressenti le besoin. Quand j'aime ce que je fais, je n'ai pas besoin de me reposer. Du moins, c'est ce que je croyais à l'époque.

J'étais un véritable paquet de nerfs branché par intraveineuse sur le Red Bull chaque fois que je mettais le pied dans cette usine. Je voulais en faire plus. TOUJOURS plus ! J'avais même supprimé un poste que je prenais à ma charge en plus de ma job de chef d'équipe afin de montrer qu'il était possible de le faire, et donc de sauver de l'argent. Le syndicat voulait me tuer. En fait, tout le monde voulait me tuer.

Vous vous imaginez ? Vous avez votre petite routine de travail bien établie depuis les 10 dernières années et soudainement un jeune petit crisse de 19 ans débarque du jour au lendemain et pousse tout le monde dans le cul pour en faire le plus possible. Je les comprenais de vouloir m'assassiner. Mais en même temps, je n'étais pas là pour faire la pluie et le beau temps. J'étais là pour travailler.

Mes efforts ont finalement porté fruit. À l'âge de 19 ans, j'ai été nommé contremaître de production du quart de travail de nuit. J'avais à ma charge 20 personnes et je gagnais 25 $ de l'heure. Ce que je ressentais à ce moment-là n'était pas de la fierté, mais de la satisfaction. Je venais de comprendre que lorsqu'on travaillait fort pour quelque chose cela finissait toujours par donner de bons résultats. Une solide leçon de vie.

Je me demande souvent ce qu'aurait été ma vie si je n'avais pas quitté ce travail. Où j'en serais aujourd'hui ? Aurais-je le même bagage ? La même mentalité ? Serais-je heureux ? Je ne le saurai malheureusement jamais, car ma bipolarité n'avait pas dit son dernier mot…

L'accident de parcours

Un beau jour d'été 2009 en me rendant au boulot, toujours avec ma Civic, je me suis fait arrêter par la police pour une inspection de routine. J'avais un feu arrière de brûlé, ils m'ont donné un 48 heures pour régler le problème. J'ignore pourquoi, mais il n'était pas question pour moi d'obéir à cet avis. Donc au lieu de tout simplement changer une petite crisse de lumière à 20 $, je me suis rendu le lendemain chez un concessionnaire de voitures d'occasion et je me suis acheté une Mazda 6 2004 au coût de 20 000 $. Ouaip. Comme ça. Juste parce que je ne voulais pas obéir à un ordre. Je m'étais rentré dans la tête que j'allais avoir une voiture neuve et rien au monde n'aurait pu m'en empêcher.

Je n'ai évidemment pas fait de dépôt à l'achat de cette voiture, puisque je n'avais jamais mis d'argent de côté de toute ma vie. De plus, parce que je n'avais que 19 ans, les assurances me coûtaient la totale pour cette voiture. Je me suis étouffé avec ma gorgée de café *cheap* offert par le vendeur lorsqu'il m'a annoncé que les assurances des deux côtés sur ma Mazda 6 reviendraient à 350 $ par mois !

Ça représentait plus que le paiement de la voiture elle-même, qui était de 274 $ par mois ! J'ai donc pris la décision la plus logique et intelligente de toute l'histoire de l'humanité en ne m'assurant que d'un côté. Jamais je n'allais crisser cette voiture dans le champ, que je me disais. J'avais donc entre les mains une dette de 20 000 $ et aucune garantie de remboursement s'il arrivait quoi que ce soit à cette auto. Autrement dit, je possédais une bombe nucléaire qui pouvait m'éclater en plein visage à tous moments.

Où étaient mes amis ? Où étaient mes parents pour me faire réaliser dans quelle merde je risquais de me mettre chaque fois que je roulerais avec cette voiture assurée juste d'un côté ? Nulle part, ils ne le savaient tout simplement pas. Tout ceci s'est fait en trois jours sans que personne ne le sache.

[***Normale***] J'ai eu beaucoup de plaisir avec cette voiture. J'en profitais au maximum. Quasiment chaque fin de semaine je partais de Montréal pour rouler jusqu'à Québec avec des chums. Le maître d'hôtel du Château Frontenac connaissait pratiquement nos noms par cœur. C'était la belle époque. C'est dans cette période que je me suis réconcilié avec mon ami qui ne sortait maintenant plus avec mon ex. On a vraiment tripé avec cette magnifique voiture que j'aimais tant. Je la lavais chaque samedi. Je l'aimais et elle me rendait si fier ! Elle représentait le fruit de tous mes efforts.

Devinez ce qui est arrivé un an plus tard. *Yes !* Je l'ai câlicée dans un champ. Perte totale. Je devais encore 15 000 $. La seule chose que j'ai eue, c'est 1000 $ que la cour à *scrap* m'a remis en venant remorquer mon épave. Durant cette année-là, j'avais aussi réussi à obtenir deux cartes de crédit. Une Visa Gold de 5 000 $ et une MasterCard de 3 000 $. Les deux, sans surprise, étaient chargées à leur limite maximale.

[*Down*] Je vivais largement au-dessus de mes moyens et là je me retrouvais à devoir payer deux cartes de crédit en plus d'assumer un paiement de 274 $ par mois durant les 5 prochaines années de ma vie pour une voiture que je n'avais plus. S'il y a une ligne du temps décrivant notre vie, c'est précisément là que la mienne a changé de direction et, malheureusement pour moi, cette ligne est descendue vers le bas plutôt que d'aller vers le haut.

Pour pallier la situation, j'avais démissionné de mon emploi afin d'aller suivre un cours pour devenir opérateur de machinerie lourde. Un travail plus payant que celui que j'avais déjà. Une décision complètement stupide qui n'a évidemment pas fonctionné. Je me suis donc retrouvé sans emploi, sans voiture et endetté par-dessus la tête…

Pour m'aider et sans doute par pitié, mon père m'a prêté une voiture qu'il avait achetée sur un coup de tête. (LOL). C'était une Nissan Sentra 1996, carrée, mauve. J'avais l'air d'une guimauve au volant de cette vidange. Mon père avait payé ça 200 $. Il trouvait que c'était une véritable aubaine. Cette voiture avait l'air d'un tank.

Non, mais sérieux, c'était la plus laide des poubelles sur quatre roues qui fonctionnait encore au Québec. De plus, il y avait un problème avec l'alternateur. Ce qui faisait en sorte que la batterie était toujours morte. Ce léger problème m'obligeait donc à devoir pousser cette voiture de merde de toutes mes forces afin d'avoir assez d'élan pour qu'une fois sauté à l'intérieur je puisse la partir en relâchant l'embrayage. J'avais l'étoffe d'un vrai champion au volant de ce magnifique déchet.

Imaginez la scène : je finis mon verre sur une terrasse d'un pub dans le coin avec des amis et je cours de toutes mes forces dans le stationnement avec mon char pour pouvoir le partir. Mes chums sont évidemment tordus de rire, ce qui a pour effet de me faire rire et tomber par terre. Laissant ainsi le char rouler de son élan pour finir sa course dans un bloc de ciment en plein milieu du stationnement. C'était de toute beauté. J'étais officiellement Capitaine Loser. Une solide promotion.

Mon premier chômage

Je recevais le max du chômage : 672 $ aux deux semaines si ma mémoire est bonne. J'avais donc suffisamment d'argent pour payer ma feue Mazda 6. J'avais aussi pris la décision d'arrêter de payer mes autres trucs : Visa et MasterCard, mes impôts et compagnie. Je les emmerdais. Qu'est-ce qu'ils allaient venir saisir de toute façon ? Mes souliers ? *Fuck !* Je ne comprenais vraiment pas les rouages du crédit. Quel idiot !

J'avais dégoté une petite « jobine » les fins de semaine afin de faire un peu plus d'argent. J'étais patrouilleur municipal. (LOL). C'était plutôt comique. Les municipalités ont pratiquement toutes un service de sécurité publique. Vous savez, ces gens détestables qui viennent vous avertir de ne pas arroser votre pelouse sinon ILS VONT LE DIRE À LA POLICE ! Ben j'ai fait ça. Je ne me prenais pas trop au sérieux, même que je ne suis jamais intervenu pour quoi que ce soit. Tout le contraire de mes coéquipiers.

Nous étions des citoyens sans pouvoir ni formation particulière qui arrivaient équipés de menottes et de bâtons télescopiques afin de patrouiller dans la ville.

Une belle brochette de nonos. J'ai finalement démissionné. Je ne tolère déjà pas le zèle de certains policiers, alors je ne tolèrerai certainement pas celui de simples citoyens en plein délire de pouvoir qu'ils n'ont pas.

Vous vous souvenez de mon tank ? Il a finalement rendu l'âme peu de temps après. C'est que, dans une manœuvre désespérée de mécanicien du dimanche, j'avais retiré l'alternateur afin d'en trouver un fonctionnel, mais en vain. Le chantier de ferraille m'a quand même donné 80 $ pour cette épave. Je me suis rapidement acheté une autre bagnole, car en région, pouvoir se déplacer est une question de survie.

J'étais maintenant au volant d'une sublime Mazda Protege 2000 et j'avais fière allure au volant de cette voiture qui m'avait seulement coûté 300 $. Elle n'avait aucun problème à part l'énorme trou au plancher qui permettait au passager arrière d'observer parfaitement la route. J'ai remédié à ce problème en collant une plaque de tôle avec du silicone et des vis sous le plancher. J'étais un sacré bricoleur à cette époque. (Ceci est un mensonge odieux.)

J'ai passé le reste de mon chômage à ne rien foutre et me saouler la gueule. Ma vie n'était que débauche et amertume. Il y avait aussi un problème que je repoussais sans cesse, mais je ne pouvais plus l'ignorer : l'argent. Je savais très bien que le chômage n'était pas éternel, mais j'essayais de ne pas trop y penser. Difficile de ne pas le faire lorsqu'on est à deux mois de la fin…

Retour à la réalité

Je venais de passer une année entière à être payé pour ne rien foutre. J'avais droit à neuf mois d'assurance emploi si ma mémoire est bonne. J'étais devenu une véritable larve inutile. Un parasite de la société qui profitait du système tout en s'apitoyant sur son sort. J'étais un raté. Un vrai.

[***Normale***] Il me fallait penser à ce que j'allais faire de ma vie. Il fallait me ressaisir, il fallait me botter le cul et c'est ce que j'ai fait. J'ai commencé à travailler pour une compagnie de forage située au milieu de nulle part. Cette firme envoyait des gars aux quatre coins de la province pour creuser les fondations de bâtiments en tous genres.

Un travail des plus salissants. Là-bas, on se foutait de qui tu étais. Le respect qu'on t'accordait était en fonction de ta force de caractère. Un travail d'homme; difficile, chiant, demandant, salissant, forçant et éprouvant en raison des nombreux jours passés dans un trou plein de marde à l'autre bout du monde. Peu d'hommes peuvent se vanter d'avoir réellement travaillé dans leur vie avant d'avoir fait ce métier.

C'est un ami de ma mère, qui connaissait les propriétaires, qui m'avait eu ce job. Mais avant de pouvoir partir à la conquête du Québec, il fallait que je prouve ma valeur. Dans ce monde à part, cela pouvait prendre beaucoup de temps. On parle ici d'années d'expérience avant d'avoir le privilège d'aller sur un chantier. J'ai donc débuté en bas de l'échelle. Genre qu'un tournevis avait plus de valeur que moi…

Je travaillais dans le garage de l'entreprise où les foreuses étaient stationnées pour être nettoyées et réparées. Dans ce garage, il y avait deux règles fondamentales que nous devions respecter : ne pas faire chier Franco et ne rien faire de stupide, ce qui aurait pour effet de faire chier Franco. Croyez-moi, tout le monde sans exception respectait ces deux règles religieusement. Même les propriétaires de l'entreprise. Je crois profondément que tout le monde avait littéralement peur de mourir s'ils faisaient chier Franco et, effectivement, il y avait de quoi avoir peur.

Franco était un vieux de la vieille. Il cumulait plus d'expérience en mécanique générale que tous les autres gars réunis. Il ne parlait que très rarement. Il passait la plupart du temps à marmonner sa haine contre l'humanité. Les seules fois qu'il parlait, c'était quand il avait besoin de quelque chose. « HEY TOÉ ! VA M'CHERCHER UNE PAIRE DE DOUILLES 3/4 ! » s'exclamait-il soudainement sans préavis. Et tu avais affaire à aller chercher cette foutue paire de douilles si tu tenais à la vie. « Quoi ? Tu ne la trouves pas ? Ça c'est ton problème. Grouille-toi, prends ton char pis roule en vitesse à la quincaillerie du village pour en acheter une de ta poche ! DÉPÊCHE, C'EST LONG, CRISSE D'IMBÉCILE ! »

Un mentor

Malgré tout, je l'aimais bien ce type. Il m'impressionnait pour tout vous dire. J'enviais son je-m'en-foutisme de niveau intergalactique. Il était franc, direct, colérique, impulsif et impatient. Mais il était aussi doué, juste, moral, extrêmement brillant et surtout très émotif. Je connaissais très bien son regard. J'avais le même. Par une suite d'événements hors de notre contrôle, nous avons tous deux fini dans ce garage. Remplis de rage et de haine, nous nous levions chaque matin afin d'aller affronter l'humanité.

[***Down***] Avait-il seulement un mauvais caractère ou cachait-il une peine immense ? Jamais je n'ai cherché à savoir. C'est quelque chose qui lui appartenait et je déteste m'immiscer dans la vie des gens. Par contre, j'étais coincé dans ce garage avec lui pour une durée indéterminée et il n'était pas question pour moi de vivre dans la terreur du règne de Franco. Je n'ai pas peur de la mort, elle fait partie de ma vie. Alors, amène-toi Franco, moi aussi j'ai la tête dure. J'ai donc commencé à aller vers lui. J'avais tout à apprendre et lui savait tout.

La seule tâche qu'on m'avait attribuée était de m'assurer que chaque foreuse soit d'une propreté impeccable afin que Franco puisse ensuite les réparer et effectuer la maintenance sur chacune d'entre elles. Inutile de vous décrire l'état lamentable dans lequel ces foreuses arriveraient des chantiers.

C'est que cette machine creuse dans la terre qui se transforme rapidement en boue. Cette boue doit forcément aller quelque part, non ? Où elle va, cette bouette de marde ? Gagné ! Elle est projetée à une vitesse fulgurante sur la foreuse et mon travail était d'enlever cette bouette de marde avec une laveuse à pression fonctionnant au diesel. Le jet d'eau était si puissant que j'avais arraché toute la peinture de mon *hood* de char en tentant de le laver. Une erreur de débutant qui n'avait pas manqué de faire sourire Franco qui me regardait en train de sacrer comme un débile.

Chaque jour donc, je prenais ce boyau infernal et je débarrassais les foreuses de leur marde et du ciment séché qui s'y incrustaient. Or où allaient le ciment séché et la marde que je décapitais ? Gagné une fois de plus ! Dans ma face, oui, c'est ça ! Tout ce que j'avais pour me protéger, c'était un imperméable. Inutile de porter des lunettes de protection, elles finissaient toujours par être tellement sales que je n'y voyais plus rien. C'est ainsi que je commençais chaque journée dans ce garage. Recouvert de marde. J'avais fini par me raser les cheveux parce que c'était chiant à faire partir de mes cheveux, la bouette de marde. Mais les autres gars le faisaient sans broncher. Alors je l'ai toujours fait sans dire un mot.

À chaque pause, j'allais dans le garage où Franco s'asseyait pour fumer une clope tranquille et, sans faire mon fatigant, je lui démontrais mon intérêt pour ce qu'il faisait. Au début je n'avais droit qu'à quelques mots de sa part et, au fil du temps, j'ai réussi à gagner sa tolérance.

Un beau jour, j'entendis « MATTHIEU ! » venant de Franco. Je courus le voir. Il était à l'intérieur d'un moteur de foreuse. On le voyait à peine. Il me dit et je cite : « Là, écoute-moi ben. En arrière, il y a une foreuse. Dessus, il y a une pompe à eau. J'en ai de besoin hier, tu comprends ? Prends ça et va me la chercher » en me donnant deux clés plates. C'était la chance de ma vie. Une épreuve que je me devais de réussir. J'ignore ce qu'est une pompe à eau ni comment la démonter, mais pas grave ! Je vais réussir ! Je ne suis pas un épais !

Je me dirige donc à l'arrière. *Fuck !* Il y a trois foreuses. C'est laquelle ? Pas le choix, je retourne voir Franco qui était déjà impatient. J'ouvre la porte du garage et j'entends aussitôt : « O. K. tu l'as ? » Seigneur… « Non Franco, il y en a trois derrière. C'est sur laquelle que je dois prendre la pompe ? » « LA VERTE, TABARNAK ! » Je cours donc vers l'arrière. Ostie, non ! Elles sont toutes vertes ! Qu'est-ce que je fais ? O. K. Pas de panique. Je prends une pompe et au pire j'en remettrai une autre à sa place si ce n'est pas la bonne. Je n'ai plus le temps.

J'ai passé un bon cinq minutes avant de trouver quelque chose qui, logiquement, devait être la pompe à eau. En plus, les deux clés que j'avais s'arrimaient parfaitement aux écrous de cette pièce. Je la démonte donc en toute vitesse. Boum ! Je parviens à enlever la pompe ! Quelle fierté ! J'étais maintenant un mécanicien !

Je rentre au garage, tout fier de ce que je viens d'accomplir. « Tiens mon Franco, ta pièce ! » Je n'étais pas prêt à ça. Franco se lève doucement, me laissant à peine entrevoir le haut de sa tête, puis j'entends ses outils tomber à terre. « Câlice... de ta-bar-nak. T'es donc ben UN OSTIE D'MONGOL ! C'PAS LA POMPE, ÇA ! C'EST LE MOTEUR DE LA POMPE, CRISSE D'ÉPAIS ! » Ouais, j'avais fait ça...

Mais malgré la bourde monumentale que je venais de commettre en arrachant le moteur de la pompe, ce qui a eu pour effet de la briser, Franco m'a pardonné. Il n'avait pas le choix de toute façon, car dès la semaine suivante j'étais à nouveau dans ses pattes à lui poser mille et une questions sur l'art de la mécanique. À mes yeux, son travail et les méthodes qu'il employait étaient d'ordre artistique.

Il avait beau démonter un moteur plus gros que ma voiture pièce par pièce, ses outils, ses mains et son linge étaient toujours d'une propreté impeccable. De plus, à la fin de chaque journée tous ses outils étaient rangés à leur place respective. Il était méthodique, rigoureux et passionné dans ce qu'il faisait. C'est principalement ce dernier facteur qui a fini par nous permettre de devenir de véritables collègues de travail. Nous parlions le même langage : celui de la passion.

Nous sommes maintenant en 2010, j'ai 20 ans et je travaille depuis bientôt plus d'un an pour une compagnie de forage située au milieu de nulle part, dans ma ville natale.

IV

Période dépressive phase 4 : la recherche de soi

Au lendemain d'avoir écrit le dernier paragraphe, rien n'allait plus. Je ne broyais que du noir. La grande noirceur. Je pensais constamment à me suicider. Je souffrais de l'intérieur comme j'ai rarement souffert dans ma vie. Je n'en pouvais plus d'être enfermé à la campagne loin de tout. La maison de ma mère était devenue un asile pour moi et j'avais l'impression de devenir de plus en plus fou chaque jour de plus que je restais là.

J'étais incapable de communiquer ce que je vivais, car je l'ignorais moi-même. Le lendemain de ce que je considère comme l'une des pires journées de mon existence, j'ai décidé de partir pour retrouver mon appartement afin d'être seul et de protéger ainsi de moi-même les gens que j'aime. Une fois arrivé chez moi, j'ai écrit ce message texte que j'ai envoyé à ma mère et mon père :

> *Salut.*
>
> *Je vous écris pour m'excuser. Je le sais que je ne suis pas facile à vivre. Et j'en suis désolé. Si vous saviez à quel point c'est difficile pour moi en ce moment. Chaque jour est une surprise. Je ne sais jamais comment je vais être. Heureux ? Triste ? Fâché ? Ce n'est jamais la même chose et j'ignore moi-même pourquoi. C'est tout simplement hors de mon contrôle. Ce n'est plus moi qui suis aux commandes de ma propre tête, vous comprenez ?*

Donc, je ne parle pas beaucoup dans ces moments-là parce que je ne sais pas quoi dire. Je ne me comprends pas moi-même, alors comment je pourrais l'expliquer à quelqu'un ?

Je m'excuse. Venir dans votre coin dans cet état a été une grave erreur de ma part. J'aurais dû savoir que ce n'est pas évident pour tout le monde de comprendre ça. Je n'arrive pas avec un bras dans le plâtre. Ce n'est pas physique. C'est invisible et, donc, vous avez l'impression que c'est le vrai moi que vous voyez…

Ma tête, mon cœur et mon âme sont mélangés. Je souffre et je n'ai pas envie d'en parler parce que je ne sais tout simplement pas quoi dire. Je ne comprends pas moi-même pourquoi j'agis de telle ou telle façon… Bref, j'espère que ce message vous éclairera un peu… Je suis profondément désolé et je vous aime.

Xxx

Ils m'ont écrit qu'ils m'aimaient puis je me suis endormi, épuisé d'être épuisé…

Ce qui est difficile lorsqu'on est dans cet état, c'est d'accepter le comportement des gens qui nous entourent. Sans le vouloir, ces gens nous font plus de mal que de bien, même s'ils sont remplis de bonnes intentions. Ils ne peuvent pas comprendre et ils font de leur mieux pour nous apporter leur soutien. Malheureusement, la plupart du temps, ils sont maladroits ; et malgré notre état, nous devons réussir à passer par-dessus cette maladresse afin d'être indulgents envers eux, car au fond tout ce qu'ils veulent, c'est notre bien.

J'ai passé deux jours à me recentrer. Il y a un bon moment déjà que je ne suis plus moi-même. J'ai l'impression que je ne suis plus qu'une ombre de ce que j'ai déjà été. Je crois que je commence à perdre mon identité et ça me fait peur.

Serai-je à nouveau celui que je fus jadis ? Qui suis-je en fait ? Très peu de personnes le savent réellement. Et si je ne redeviens jamais celui que j'étais, qui s'en souviendra ? Qui se souviendra de l'humain créatif et tourmenté que j'étais en dehors des caméras et des foules ? Est-il mort ? Est-ce que c'est ça, évoluer, ou est-ce que je suis en train de m'effacer ? Suis-je en train de devenir le résultat d'une maladie qui prend de plus en plus le contrôle de ma tête ? Je me sens tellement perdu…

Je me demande sans cesse ce que je suis depuis mes débuts sur le Web. Un artiste ? Un vlogueur ? Un blogueur ? Un humoriste ? Un gestionnaire de communauté ? Un stratège Web ? Un entrepreneur ? Un charlatan ? Après tout, je ne suis qu'un *dude* qui, un jour, a décidé de se filmer avec son téléphone… Je vous en parlerai plus loin. (*TEASER* DE FEU !) Est-ce là tout mon héritage ? Cinq années à jongler avec des titres le temps d'un moment pour finir par devenir fou ? Est-ce ainsi qu'on se souviendra de moi ?

J'ai quand même rallié 165 000 abonnés à ma folie sur Facebook, mais qu'est-ce que cela représente vraiment ? Ce nombre a-t-il une valeur ? Chaque jour je me demande où je m'en vais avec tout ça. Je fais les cent pas dans mon appartement à me creuser les méninges afin de trouver ma voie. Il y a quelque chose au fond de moi qui ne demande qu'à sortir, mais je ne parviens pas à trouver comment faire. C'est pourtant bien là, je le sens et ce je-ne-sais-quoi ne cesse de crier de plus en plus fort.

Mon plus gros problème, je crois, c'est que je ne parviens pas à décider de ce que je veux. Tant que je n'aurai pas trouvé une réponse à cette question, je suis condamné à errer en vain dans ce monde. Je pourrais très bien enterrer ce côté artistique de ma personnalité, mais ce débat est réglé depuis bien longtemps dans ma tête. Jamais je n'arrêterai la poursuite de cette quête, quitte à mourir en essayant. J'ai le cœur d'un artiste et…

[ALERTE! JE SUIS COMPLÈTEMENT BATTÉ.*] Sachez que ceci est la pire des idées.*

Oups. Qu'est-ce que je disais donc avant d'allumer mon joint? Ah oui, j'ai le cœur d'un artiste et… Je suis vraiment désolé, j'ai complètement oublié où je m'en allais avec ça. (LOL). Je voulais probablement insister sur le fait que ce côté de ma personnalité, voire de ma raison d'être, est la seule chose qui me tient en vie.

HA, HA, HA, HA, HA, HA! OSTIE QUE JE DIS N'IMPORTE QUOI! JE MEN SOUVIENS CÂLICEMENT PUS DE CE QUE JE VOULAIS DIRE APRÈS «J'AI LE CŒUR D'UN ARTISTE ET…» JE SUIS DÉSOLÉ! HA, HA, HA, HA!

Bon, je viens de relire tout le paragraphe pour trouver ce que je voulais dire. O. K. Non, je n'ai pas relu le dernier paragraphe, ça ne me tente juste pas! Ha, hahahahahahahaha!!!

Ostie. J'étais tanné sérieusement de me questionner sur mon existence. C'est louuuurd! C'est pour ça que je viens de fumer du *weed.* Pour décrocher. Sinon je me connais, y'aurait pas eu de fin!

En ce moment, la chanson *Djobi Djoba* des Gipsy Kings qui joue à planche dans mon appartement. Cette *toune* me rend joyeux. Elle est tellement belle. Sa mélodie est douce et rassurante. Teintée de couleur et de beauté. Bref, j'aime bien cette chanson. Je me sens bien en ce moment. Je suis capable de prendre de grandes respirations. Vous savez, celles qui nous relaxent pour vrai.

Vous savez, je vous aime bien, vous. Ouais ! Je veux dire : vous avez acheté mon livre et vous êtes quand même rendu à ce passage dans votre lecture. C'est gentil, je trouve. Merci. Je suis tellement sincère, et c'est bien le pire. Ça représente beaucoup pour moi d'avoir réussi à vous accrocher jusqu'à maintenant dans un ouvrage que j'ai moi-même écrit. Faut le faire ! Je suis en train d'écrire un putain de livre ! Jamais dans ma vie je n'aurais pensé faire ça ! Et pour vous dire franchement, j'adore ça. Dans un monde idéal, je ne ferais que ça, écrire des livres. J'aimerais bien écrire un roman de fiction. On verra bien. Si les ventes de ce livre se déroulent bien, j'aurai peut-être l'appui nécessaire pour en écrire d'autres !

Shit. Je viens de réaliser… Et si les ventes de ce livre étaient un échec ? TA-BAR-NAK ! Vous vous imaginez ? À quel point je vais passer pour un véritable *loser* ! Dire tout ce que j'ai dit, à propos de mon questionnement existentiel, de mes troubles mentaux et toute la patente, pour finalement n'être qu'un ostie de taré qui devrait simplement arrêter de rêver. Ce doute n'avait jamais traversé mon esprit jusqu'à présent. Dans ma tête, je tenais déjà pour acquis que ce livre allait être un succès. Voyons donc ! Peut-être même que tout le monde va rire de moi… ! Ouh là là ! Ouh là là ! Ouh là là !

J'ai mis tellement de cœur et de travail jusqu'à présent dans ce livre. Un échec me ferait mal. Car je veux toucher les gens avec mon essai. Je veux qu'ils puissent comprendre les malades que nous sommes. Je veux que certaines personnes se reconnaissent dans ce que j'écris afin qu'elles arrêtent de se sentir seules ! Jamais je ne croirai être le seul humain sur cette foutue terre à être comme ça ! OMG ! PEUT-ÊTRE QUE JE ME PLANTE AUSSI LÀ-DESSUS ! Peut-être que *fucking* personne ne va se reconnaître dans ce livre ! ! ! ! ! *HOLLY SHIT !*

[FIN DU SEGMENT ALERTE ! JE SUIS COMPLÈTEMENT BATTÉ.*]*

(Trois jours plus tard, je pense, tk)

J'aimerais sincèrement ne jamais avoir existé.

Je me suis encore chicané avec mes parents ce matin. Mais solide. On a eu des échanges musclés. Du genre que des choses se seraient probablement brisées si on avait été dans la même pièce.

Ils se sont mutuellement inquiétés en ce dimanche matin et ils ont décidé qu'ils devaient absolument avoir de mes nouvelles. Un dimanche matin. Évidemment, je dormais et j'ai manqué la totalité de leurs appels jusqu'à ce qu'ils finissent par me réveiller. Je vous mets en contexte :

Rien ne s'améliore dans votre vie. Tout est de plus en plus noir. Tellement que vous n'en dormez plus. Vous n'êtes plus capable de fonctionner. À ça s'ajoute une nouvelle difficulté de la vie que vous repoussiez jusqu'à maintenant afin de gérer le moins de problèmes possible à la fois : l'argent. Mais vous ne pouvez plus ignorer cette réalité. Le jour du loyer approche à grands pas et vous n'avez aucune idée de ce que vous allez faire. Vous n'avez aucune idée de ce qu'est réellement votre travail et vous avez beau chercher des solutions, vous n'y arrivez pas. On parle ici d'une nouvelle source d'anxiété bien présente qui vous empêche de dormir.

Vous finissez finalement par vous « évanouir » de fatigue à 6 h du matin. Puis vous vous faites brusquement réveiller à 10 h par des messages vocaux hystériques de vos parents laissant sous-entendre qu'ils craignent que vous vous soyez suicidé, et c'est comme ça que vous débutez votre journée. Dans cet état. Bon crisse de matin !

Je décompresse au fur et à mesure que j'écris ces lignes. Je suis tanné de me faire dire que personne ne peut comprendre mon état. Que je dois apprendre à composer avec la maladresse de mon entourage qui ne souhaite que m'aider. C'est à se demander pourquoi ils veulent réellement m'aider ! Ils font ça pour moi ou pour avoir la conscience tranquille ? Et si au lieu de persister dans cette maladresse tout en nous culpabilisant de ne pas accepter leur aide, on avait le droit d'être en crisse contre eux ?

Je suis persuadé que personne de mon entourage n'a pris la peine d'aller lire sur la bipolarité, les troubles d'anxiété et les comportements qui s'y rattachent. Bien sûr que non. Cela demanderait un effort. Et pourtant, c'est ce qui m'aiderait le plus. Que mon entourage fasse des efforts pour me comprendre.

Je n'ai pas choisi d'être dans cet état. Je dois faire des efforts incroyables pour me gérer moi-même. Je n'ai pas la force de devoir en plus gérer les autres qui, malgré eux, me nuisent en courant comme de vraies poules pas de têtes autour de moi afin de « m'aider ».

Quoi ! Vous vous dites que je suis un monstre en ce moment ? Que c'est horrible ce que je viens d'écrire ? C'est ça, pensez-le. Mais dites-vous bien que ce n'est pas parce que vous faites un geste quelconque pour quelqu'un qu'on peut automatiquement appeler ça de l'aide et que, de ce fait, vous devenez irréprochable. Si votre geste ne trouve pas écho et que cela vous fâche au point de vous en prendre à la personne que vous vouliez aider au départ, demandez-vous pour qui vous faisiez vraiment votre geste. Pour vous et votre conscience ou pour la personne ?

~

Si vous souhaitez réellement aider quelqu'un, commencez par comprendre ce qu'il vit afin de savoir ce dont il a réellement besoin. Mais cela demandera un effort de votre part. Le ferez-vous ? Si la réponse à cette question est non, acceptez l'idée qu'il y ait une chance que l'on refuse cette aide. Parce que votre offre équivaudrait à offrir une passe de ski saisonnier à quelqu'un qui vient de se faire amputer les deux jambes.

~

Je suis difficile à vivre, n'est-ce pas ? Ben c'est ça, je suis désolé d'exister…

(Je ne sais plus quel jour plus tard et je m'en crisse.)

Devinez quel jour on est ! C'est le quinzième jour de ma période d'essai sur le Seroquel. Deux choses. La première, c'est que j'ai lamentablement échoué pour mon objectif de 60 000 mots. La deuxième, c'était mon jour de visite chez mon médecin. Cette rencontre avait pour but de faire un suivi sur la prise de ce nouveau médicament, à savoir si le dosage était bon. Afin d'être le plus précis possible, je me suis fait un aide-mémoire durant ces 15 jours pour ne rien oublier lors de ma rencontre. Le voici :

Jour 1 : euphorie + *trip* de bouffe + sommeil dur

Jour 2 : même chose en moins intense

Jour 3 : rien + rationalisation de mes émotions + anxiété

Jour 4 : normal + anxiété intense

Jour 5 : envie de suicide intense + anxiété

Jour 6 : maussade + anxiété intense

Jour 7 : triste + anxiété

Jour 8 : malheureux + anxiété

Jours 9 à 15 : anxieux, peur, inquiétude, triste, neutre. Incapable d'accomplir quoi que ce soit. Isolement total. Aucun effet ressenti du Seroquel.

Le verdict de mon médecin : la dose n'était pas assez forte. Il s'en doutait bien, m'a-t-il avoué, mais c'est la procédure. On ne peut commencer la prise d'un médicament en ayant tout de suite la dose la plus forte, car le risque que les données soient faussées est trop grand. On doit donc y aller progressivement.

Je prends donc maintenant deux cachets de Seroquel de 50 mg par jour au lieu d'un. Aussi, au lieu de revoir mon médecin dans 15 jours, je le revois dans une semaine. Le but de doubler ma dose est de m'aider à dormir et surtout de faire disparaître mon anxiété qui actuellement m'empêche totalement de fonctionner.

Le seul inconvénient avec cette méthode, c'est que je dois avoir une confiance quasi aveugle envers le Seroquel. Il existe tellement d'avenues disponibles, de médications différentes et de diagnostics contradictoires à propos des maladies mentales. De plus, je dois avoir une confiance indéfectible envers mon médecin et je l'ai, contrairement à pratiquement tout mon entourage, qui croit que c'est une grave erreur et que ce médicament n'est pas approprié pour moi.

Encore une fois, je me retrouve à être perturbé par des gens qui veulent seulement m'aider. Je me dis : *que savent-ils exactement de tout ça*? Sont-ils médecins ? Non. Leur opinion, ils peuvent bien se la mettre où je pense. Je dois apprendre à ne pas me laisser distraire par les autres. Je suis seul dans ce pétrin, seul à le comprendre et seul à le vivre. C'est donc seul que je vais m'en sortir.

Quant à ma santé et à ce que je dois prendre ou non, les seules personnes que je vais écouter seront les experts dans le domaine de la santé mentale. Est-ce un bon choix ? Après tout, il y a des incompétents dans tous les domaines ! Tout dépend du médecin. Je pourrais très bien prendre une médication différente de celle que j'ai présentement. Je pourrais très bien prendre un médicament de la famille des anxiolytiques plutôt qu'un antipsychotique.

Qui sait ! Tout dépend de ma précision dans l'énoncé de mes symptômes et de l'interprétation que mon médecin en fait.

Lorsqu'on tombe dans l'interprétation, il y a place à l'erreur, non ? Malheureusement, je n'ai pas le luxe de commencer à jouer au médecin et encore moins de pouvoir douter de ces derniers. Leur mission est de me remettre sur pied et si mon médecin juge que c'est la meilleure façon d'y arriver, je plonge avec lui les yeux fermés. Je ne passerai certainement pas le reste de mes jours dans cet état. *NO FUCKING WAY!*

J'ai aussi l'intention de travailler en amont de cette prise de médication. Je vais surveiller mon alimentation, faire du sport et essayer d'avoir un mode de vie plus équilibré. Ce ne sera certainement pas évident, mais il le faut. Ce serait d'un ridicule absolu que de croire que la prise seule de Seroquel réglera tous mes problèmes. À quoi bon tenter d'éradiquer mon anxiété si je vis dans une soue à cochons, que je m'alimente de Kit Kat et de chips, que je ne fais aucun exercice et que je passe mes journées à m'apitoyer sur mon sort ! Si je veux réellement m'aider, je dois moi aussi mettre la main à la pâte. Cela ne se fera pas du jour au lendemain certes, il y a un début à tout.

Je crois que je commence à comprendre la signification de « se fixer de petits objectifs ». Lorsqu'on est sur un terrain inconnu, il faut y aller progressivement si on ne veut pas se casser la gueule à chaque fois. J'ai beau avoir toute la détermination du monde, si mon objectif est de faire les X Games et que je n'ai jamais monté sur une moto-cross de ma vie, il y a de fortes chances que je MEURE. La première étape serait plutôt d'apprendre comment on démarre une foutue moto de moto-cross.

C'est fou, j'ai pourtant compris cette logique toute ma vie, mais je me rends compte que je ne l'ai jamais appliquée.

J'ai toujours cherché à commencer directement à l'étape 30. C'est normal que je me sois cassé la gueule si souvent.

Tiens donc, ce n'est pas exactement le même principe qu'avec le Seroquel? Commencer progressivement. Pas si fou que ça, mon médecin, finalement. Il est grand temps que j'applique cette logique dans ma vie. Cela ne me fera pas de tort, je crois.

Ma vie

Chapitre 5 : le chemin de la gloire

Naissance d'une passion

J'étais sur le pilote automatique depuis un bon moment déjà, mais je sentais qu'une force bouillonnait à l'intérieur de moi. Plus les jours passaient et plus cette force hurlait. Puis, un jour que j'étais coincé dans le trafic, je sortis mon téléphone de ma poche et je fis une vidéo. En gros, je faisais le clown coincé dans le trafic : 12 vues, un véritable buzz.

Rapidement, toute mon énergie fut canalisée par l'envie de confectionner ces petites vidéos que je créais sur une base régulière afin de les mettre sur YouTube. Je ne connaissais absolument rien du Web et de ses artisans à l'époque. Je faisais ça dans le but de faire rigoler mes amis, tout simplement.

Sans m'en rendre compte, j'étais devenu un YouTubeur. Difficile de le savoir, car à l'époque ce terme n'existait pas.

Les médias traditionnels ne s'intéressaient pas à ce nouveau phénomène duquel je faisais partie. Mais c'était pratiquement devenu une obsession chez moi. Chaque fois que j'en avais l'occasion, je sortais mon téléphone et je faisais une vidéo, mais c'était plus un hobby qu'autre chose à mes yeux.

[***Down***] Évidemment, les répercussions sur la qualité de mon travail se sont rapidement fait sentir. Je devenais de plus en plus insouciant, j'arrivais en retard chaque matin, je n'étais plus motivé et je commençais de plus en plus à me foutre de mon avenir au sein de cette compagnie de forage. Tout ce qui m'importait maintenant, c'était la prochaine vidéo que je ferais même si la plupart n'avaient guère de succès. Puis, contre toute attente, une chose s'est produite. Une chose allant au-delà de mes rêves les plus fous.

Le 7 décembre 2011, après avoir passé la journée à laver des foreuses, j'étais dans ma voiture que je qualifiais maintenant de « minoune » en direction de chez moi. J'écoutais le 98,5 FM tout en étant blasé de ma pitoyable existence et soudain, le son du carillon annonçant le bulletin de nouvelles retentit. On nous annonça un projet de loi qui obligerait les propriétaires de voitures d'occasion à leur faire passer une inspection afin de s'assurer qu'elles étaient en ordre. Je gagne 14 $ l'heure, ma voiture est sur le point de rendre l'âme et je n'ai certainement pas le luxe de m'offrir une telle inspection. Pour moi, c'est comme si on venait de m'annoncer en direct que, prochainement, je serais à pied.

Cette goutte a fait déborder le vase de ma vie. Comme si, en un instant, tout ce que je traînais de négatif avec moi s'était subitement embrasé. Je suis arrivé chez ma mère en tabarnak. J'avais envie de crier de toutes mes forces que ce projet de loi était une grande injustice. Et je me suis dit : *tant qu'à le faire, aussi bien me filmer. Je ne dois certainement pas être le seul à avoir ce sentiment en ce moment*, me disais-je. Les Québécois faisant du funambulisme entre la classe moyenne et la pauvreté devaient sûrement être aussi pompés que moi.

Je me suis donc enfermé dans la salle de lavage de ma mère au sous-sol afin de n'effrayer personne, car ce que je m'apprêtais à faire n'était pas loin d'une crise hystérique et je le savais. J'ai finalement hurlé de tout mon cœur et de toute ma sincérité ce que je pensais de ce projet de loi qui, pour moi, était une véritable insulte envers les gens dans le besoin.

J'avoue que j'ai longuement réfléchi avant de mettre cette vidéo en ligne. C'était carrément mes tripes que je mettais sur la table. J'avais peur de passer pour un malade mental (ce que j'étais, mais je préférais ne pas le crier sur tous les toits). J'avais peur de faire rire de moi. Sauf que je n'avais plus rien à perdre. J'ai donc mis en ligne cette vidéo et j'ai tout de suite fermé mon ordinateur. J'étais trop nerveux pour lire les réactions. Je me suis couché tout de suite après, complètement épuisé. Il était autour de 21 h…

Premier contact avec le succès

Le lendemain matin à 6 h, je me suis fait réveiller par un appel sur mon cellulaire. Il affichait un numéro que je ne connaissais pas. C'était une radio de Québec. On m'a demandé si je voulais accorder une entrevue. Je pense qu'on a pu voir le point d'interrogation dans ma face depuis une galaxie voisine. « Oui, mais pourquoi ? » me renseignai-je, très intrigué. On m'a expliqué que ma vidéo sur le projet de loi

48 avait attiré 60 000 vues et qu'on souhaitait m'en parler. J'étais complètement dépassé par les événements.

[***High***] Il faut comprendre qu'en 2011, les buzz sur le Web avec autant de vues en si peu de temps n'étaient pas chose commune au Québec. J'ai finalement accordé cette entrevue, avec la trace de mon oreiller imprégnée dans ma face. On pouvait entendre ma fébrilité dans le ton de ma voix. Je ne comprenais rien à rien de ce qui m'arrivait. Je me suis finalement rendu au boulot. La réalité m'a rattrapé et j'ai passé la journée à laver des foreuses entouré de gens qui n'avaient aucune idée de ce que je vivais...

Ce n'est que le lendemain que tout le monde, y compris moi, a réalisé l'ampleur de ce que je venais de faire. En page 2 du *Journal de Montréal*, il y avait ma grosse face accompagnée du titre: « Un conducteur déverse sa colère sur le Web ». Cette journée-là, je suis arrivé en retard au travail avec une bonne excuse. Dominic Arpin, chroniqueur Web pour le 98,5 FM, m'avait contacté sur Facebook pour m'annoncer qu'il allait passer un extrait de ma vidéo en ondes ce matin-là.

Je n'oublierai jamais ce moment. J'étais dans ma voiture stationnée au travail quand j'entendis Paul Arcand parler de moi et de ma vidéo avant d'en passer un extrait. Je pleurais de joie dans ma voiture, encore sous le choc. Ma vidéo avait franchi le cap des 150 000 vues en moins de 48 heures. Tout le monde ne parlait que de ça.

Mon compte Facebook a littéralement explosé sous une pluie de messages et de demandes d'amitié. En 2011, l'option permettant de pouvoir « s'abonner » à un compte Facebook n'existait pas encore. J'ai donc passé un bon 3 jours à accepter manuellement plus de 3 000 demandes d'amitié. Je flottais sur un nuage, car je venais enfin de monter la première marche d'une longue série qui m'amènerait un jour vers mon rêve le plus fou : vivre de ma passion.

Coup de circuit viral

Je savais que si je ne faisais rien d'autre après ma vidéo virale sur la loi 48, mon succès serait de courte durée. Je voulais à tout prix éviter de n'être qu'un feu de paille. C'était la chance de ma vie et il fallait que je la saisisse.

Trois jours plus tard, je mettais donc en ligne une vidéo intitulée « Noël Noël Noël Noël », dans laquelle j'affirmais le droit des Québécois de célébrer Noël partout dans notre Belle Province. Le 25 décembre approchait à grands pas et les « scandales » autour de cette fête culturelle pullulaient sur la Toile. C'était le sujet de l'heure. Un sapin interdit dans une école, plus de musique du temps des fêtes dans les centres commerciaux… le tout en raison du clash culturel entre plusieurs communautés. Évidemment, ma vidéo frappa un autre coup de circuit : 200 000 vues en deux jours.

[***Normale***] C'est spécialement cette vidéo qui m'a fait comprendre la recette du marketing viral :

- un sujet controversé soulevant les passions ;
- un personnage coloré hurlant des vérités populaires ;
- le tout dans un langage commun et vulgaire transmis par le biais de la caméra frontale de mon téléphone, accentuant ainsi un lien de proximité entre l'interlocuteur et son public.

C'est ainsi qu'est né le « péteux de coche ». Je n'avais guère conscience que je n'étais en fait qu'un simple populiste démagogue qui criait des trucs déjà acceptés de tous. Difficile de faire cette constatation à 21 ans lorsque des milliers de personnes vous disent merci et vous adulent.

Par contre, dès le début il n'était pas question pour moi de tenir pour acquis le succès dont j'allais devenir victime. J'avoue que derrière cette noble intention, se cachait une peur de perdre une fois de plus quelque chose qui me rendait heureux. C'est triste à dire, mais je n'ai jamais véritablement profité de tout ce succès. La peur que tout se termine subitement était si forte que chaque fois que je frappais un coup de circuit, je me retenais d'en être heureux afin d'anticiper une possible chute…

Ce fut un beau temps des fêtes cette année-là. Bourré d'espoir et de belles promesses pour la nouvelle année qui débutait. Il faut dire que Noël était la fête que je détestais le plus. Le dernier beau souvenir que j'en avais était celui passé avec mon amour de jeunesse. Chaque Noël qui a suivi notre rupture ne représentait pour moi qu'amertume et tristesse. Bref, ce fut un beau Noël cette année-là, point.

Mais je n'étais encore qu'à mes débuts. L'option de pouvoir s'abonner à des gens sur Facebook n'existait toujours pas. J'étais donc bloqué à 5 000 amis, soit le maximum permis. Aujourd'hui ce nombre peut sembler plutôt banal, mais je vous confirme qu'à l'époque c'était énorme. Je me considère même comme chanceux qu'à mes débuts le nombre d'abonnés ait été restreint à ce nombre, car cela m'a permis de m'habituer progressivement à la popularité.

Cela me permettait aussi d'explorer toutes les avenues de ce nouveau terrain de jeu sans trop de dommages. Si j'essayais quelque chose dans une vidéo et que c'était un véritable flop, il n'y avait que peu de gens pour y assister. Se casser la gueule devant 5 000 personnes n'attise pas le même sentiment que devant 160 000 personnes. Non ?

Ce petit nombre me permettait aussi d'atteindre des sommets de viralité de plus en plus hauts. Quand je frappais dans le mille, la vitesse à laquelle se propageaient mes vidéos était tout simplement incontrôlable. C'est comme ça que, le 23 février 2012, une de mes vidéos dans laquelle je reprochais aux étudiants de se tromper de cible en bloquant les ponts afin de manifester contre la hausse des frais de scolarité, a battu tous mes records de visionnage, confirmant que je n'étais pas un simple feu de paille voué à tomber du haut de la montagne que je venais de gravir à une vitesse fulgurante.

Connerie de jeunesse

[***Down***] Vous vous souvenez de ma job à la compagnie de forage ? C'est ça : moi non plus. Les retards, mon absence cérébrale durant mes heures de travail et ma motivation en chute libre m'ont finalement valu un congédiement. Disons que je n'ai pas trop offert de résistance. Je suis parti en coup de vent, ne disant bye à personne, même pas à Franco…

Je m'en veux encore aujourd'hui d'être parti comme ça. J'aurais tellement aimé trouver les mots pour exprimer toute ma reconnaissance à Franco de m'avoir tant appris durant ces deux années. Ce travail m'avait aussi permis de m'acquitter de ma dette concernant la belle voiture que je n'avais plus. Vous vous imaginez le soupir de soulagement, lorsque j'ai fait le dernier versement, remboursant ainsi les 19 000 $ que m'avait coûtés cette tabarnak de Mazda 6? Le fait de voir enfin mon compte à 0 m'enleva un poids immense des épaules. Ce sentiment de bonheur fut toutefois de courte durée…

Un soir d'été cette année-là, je suis allé à un événement visant à amasser des fonds pour le cancer qui était organisé par mes amis. En fin de soirée, une fille plus vieille que moi m'invita à aller chez elle. C'était à moins de 10 minutes de marche de l'endroit où nous étions. J'ignore pourquoi, mais j'ai pris la décision d'y aller en voiture même si j'avais au moins 5 bières dans le corps. Ce qui devait arriver arriva: je me suis fait coller par la police. Bien fait pour moi, c'est tout ce que je méritais.

Évidemment, mon taux d'alcool était supérieur à 0,08 et donc, mon permis fut suspendu sur-le-champ. Je n'ai même pas contacté d'avocat. J'étais coupable et j'avais l'intention de faire face à la musique. Le jour de ma comparution, je me suis présenté seul devant le juge, qui était quelque peu étonné de me voir debout devant lui sans avocat.

Il s'assura même que je comprenais parfaitement la situation, ce qui était le cas. Je ne suis pas le genre de personne qui se sauve de ses responsabilités. Il m'a donc donné ma sentence sans plus tarder: un an sans permis de conduire et une amende de 1250 $. Je sais, j'ai un don inné pour me mettre dans le trouble de façon complètement stupide. En revanche, ça aurait pu être bien pire. Et si j'avais heurté une autre voiture? Et si j'avais tué quelqu'un? C'est pour cette raison que je n'ai jamais cherché à ravoir mon permis. Deux accidents dans une vie, c'est trop pour moi.

Bon ! c'est l'heure de faire une synthèse : j'ai 22 ans, je touche une allocation de chômage qui me donne cette fois-ci 400 $ aux deux semaines, j'ai un dossier criminel, je vis à nouveau chez mes parents, je n'ai plus de permis de conduire, j'ignore ce que je veux faire dans la vie et j'ai maintenant de la difficulté à faire lever mes trucs dans Internet, car j'ai une perte de créativité. Oui, je m'accrochais solidement à mon titre de Capitaine Loser.

Capitaine Loser prend du galon

[***High* + *anxiété***] Encore une fois… j'ignore pourquoi, mais j'ai décidé de m'inscrire en arpentage, en vue d'obtenir un diplôme d'études professionnelles (DEP). J'ignorais tout de cette profession, mais un de mes amis arpentait de gros chantiers de construction situés sur la Côte-Nord et il se faisait pas mal de blé. J'avais beau produire des vidéos qui fonctionnaient plutôt bien, il n'en demeure pas moins que je ne faisais pas d'argent avec ça.

Je fus accepté sur-le-champ. Il y avait deux formations qui se donnaient en même temps à mon école. Une de jour et l'autre de soir. Le cours du soir étant moins populaire, ils peinaient à remplir la classe. C'est pour cette raison que mon acceptation avait été aussi rapide.

Quelques semaines avant de commencer le cours, je cherchais désespérément de l'argent afin de m'acheter un paquet de clopes. J'ai donc commencé à fouiller partout dans la maison. Rendu à la garde-robe de ma mère, j'ai trouvé une quantité non négligeable de rouleaux de 25 cents. Ç'a été plus fort que moi… j'en ai pris pour 80 $.

Évidemment, elle s'en est rendu compte. Ajoutez à ça l'alcool au volant et la perte totale de ma Mazda 6… le vol de ces 80 $ fut la goutte qui a fait déborder son vase. Un soir, elle m'a convoqué à la table de la cuisine et m'a annoncé qu'elle me foutait à la porte et que j'avais une semaine pour trouver un autre endroit. Je commençais l'école dans deux semaines. Pas de chance comme on dit, n'est-ce pas ?

J'ai donc été forcé de déménager chez mon père à mon grand regret. Non que je ne l'aimais pas, bien au contraire ! C'est que le côté gestionnaire de marde pour les finances, je l'ai certainement hérité de mon père. Il habitait dans une petite maison sympathique avec sa nouvelle femme et mes trois autres frères. Je me sentais donc comme un fardeau supplémentaire, puisque maintenant mon père devait nourrir une personne de plus…

Cela me désolait, mais c'était soit ça, soit la rue, et je vous avoue que j'ai sérieusement songé… à la rue. Je crois que cela aurait été faisable. Le seul problème, c'était l'odeur infecte qui aurait empesté la classe à cause de mon corps et de mon linge sale qui n'auraient tous deux pas été lavés sur une période d'un an, soit la durée du cours. J'ai donc abandonné le projet d'être un sans-abri pour ces raisons. Triste et drôle à la fois, l'histoire de ma vie.

[***Normale + anxiété***] C'est en octobre 2012 que j'ai officiellement entrepris mon DEP en arpentage. Dès la première semaine, j'ai vu que je m'embarquais dans un solide projet. En effet, j'ai toujours été nul à chier en mathématiques. Mon prof de secondaire 4 m'a probablement alloué la note de passage par pitié, afin que je puisse avoir au moins mes Maths 416 qui se trouvaient à être les moins fortes, et obligatoires pour espérer le diplôme d'études collégiales. Pas de bol, le premier cours qu'il nous fallait absolument passer afin de pouvoir poursuivre la formation en arpentage était un cours de trigonométrie. *FUCK*.

Je ne comprenais absolument rien. Tous les autres élèves de ma classe avaient déjà une bonne base dans ce domaine. *DAH*! C'est qui l'imbécile qui voudrait devenir arpenteur sachant qu'il est pourri en mathématiques? Eh oui! Nul autre que Capitaine Loser, mesdames et messieurs! J'étais facilement reconnaissable dans la classe puisque j'étais le seul idiot qui comptait sur ses doigts pour effectuer des calculs. (LOL)

Mais au lieu de me laisser abattre par ce handicap, j'ai plutôt choisi de prouver à qui voulait bien l'entendre que j'avais bien ma place dans ce cours et que j'étais loin d'être un imbécile. Je me suis donc retroussé les manches et j'ai travaillé fort. Vous savez, le fatigant qui pose toujours mille questions pendant un cours? Ben c'était moi. Il faut dire que j'étais inspiré. Pour faire une histoire courte, au secondaire, un prof m'avait déjà raconté qu'une fois rendu à l'université, il avait choisi d'avoir tous ses cours en anglais parce qu'il était nul en anglais. C'était sa façon à lui de se prouver qu'il n'était pas un cave. Il avait terminé avec les meilleures notes de sa cohorte.

C'est donc avec cette mentalité que j'ai décidé d'affronter le cours obligatoire de trigonométrie. J'avais l'intention de devenir le meilleur dans le domaine dont j'étais le plus nul. Et après des semaines d'acharnement, le test ultime arriva. Si je le coulais, je pouvais dire adieu à ce DEP. J'ai eu 75 %. Merci bonsoir.

Cette note m'a même valu mon diplôme d'études collégiales (DEC). Aucune idée du pourquoi. Peu de temps après avoir réussi ce cours et un autre intitulé « Tracé de base », j'ai reçu une lettre de la part du ministère de l'Éducation accompagnée de mon diplôme. Une histoire de crédits sans doute. Je m'en crissais pas mal, pour tout vous dire.

Idiobécile

[***High*** **+ *anxiété***] Décembre arriva, célébrant du coup le premier anniversaire de la vidéo qui m'avait mis sur la *map*. Pour l'occasion, j'ai voulu faire une vidéo spéciale dans le but d'avoir encore plus de vues que pour toutes mes vidéos réunies. Je voulais non seulement que ce soit un « buzz » sur le Web, mais je voulais aussi que les journaux en parlent. J'ai donc eu l'idée de faire un genre de revue de fin d'année et d'attaquer gratuitement toutes les personnalités qui avaient fait les manchettes cette année-là.

Dans ma tête de con, ça allait être drôle de dire les pires méchancetés inimaginables contre des personnalités publiques. Quelle erreur ! Il faut dire qu'à cette époque, le Web n'était pas encore super balisé. Les gens ne s'offusquaient pas encore contre absolument tout. C'était plutôt l'inverse. Les gens étaient assoiffés de sang. Internet était devenu une sorte d'exutoire pour tous ceux qui en avaient assez des médias traditionnels qui leur présentaient toujours la même formule complaisante et *FAKE AS FUCK*, où le moindre petit sacre était censuré. Le Web c'était la liberté. On pouvait dire ce qu'on voulait et *fuck* les matantes !

C'est donc avec cette mentalité que j'ai décidé de produire ce qui aura probablement été la pire vidéo que j'ai créée de ma vie. À ma défense, à ce moment-là, je n'étais pas encadré par personne excepté un agent, mais j'y reviendrai plus tard (*TEASER* DE FEU). Il n'y avait que moi et un public de trolls qui voulaient encore et toujours plus de *trashs* et farfouiller au clavier. Probablement que si j'avais été à la télé à ce moment-là, disant mon idée au réalisateur de mon show, il m'aurait frappé en plein visage pour ensuite me traiter d'imbécile. Mais bon, j'étais seul et mon unique barrière était moi-même. Un jour ou l'autre j'aurais franchi la ligne. C'était inévitable.

Je vous mets dans le contexte: il y a une intro où on peut voir le mot « Drama » qui apparaît un peu partout dans l'écran, et ensuite me voir apparaître dans le décor avec un casque de poil sur la tête et des lunettes bleues sans verres. Le tout, dans ma salle de bain. Le ton est clair, c'est du gros niaisage !

Le contexte est important, car peu de temps après la mise en ligne de cette vidéo, un candidat d'Option nationale a porté plainte à la police. Ouain… Dans ma super vidéo, j'ai dit que je souhaitais un peu qu'un malade mental entre dans l'Assemblée nationale avec un *gun* et qu'il tire sur tous les politiciens corrompus. Je sais, je sais: c'était complètement stupide. Je n'ai aucune excuse, ce que j'ai dit était d'une imbécillité sidérante.

Mon arrestation

[***Normale* + *anxiété***] Et pour cause ! J'ai été arrêté pour cette vidéo. Vous auriez dû voir la face de ma mère quand les policiers ont débarqué chez moi en pleine heure du souper afin de m'amener au poste. Mais je dois leur donner ça, les policiers ont été cools avec moi. La raison pour laquelle ils étaient venus me chercher pour m'amener au poste était une simple question de formalité. On avait porté plainte contre moi, il fallait donc savoir si je représentais une menace pour qui que ce soit. Je suis en accord avec cette procédure.

On m'a installé dans une petite pièce d'interrogatoire semblable à celles qu'ont voit dans les films policiers. Vous savez, celles qui possèdent une vitre teintée où l'on sait très bien qu'ils sont 30 de l'autre côté. Puis on m'a demandé si je voulais contacter un avocat. J'ai dit non sur-le-champ. Je n'avais rien fait de mal sur le plan de mes intentions. Je veux dire : je ne souhaitais pas pour de vrai qu'un malade tire sur des gens. C'était stupide certes, il y avait quand même un contexte à cette vidéo.

J'ai donc répondu à une série de questions un peu loufoques posées par un enquêteur. Des questions du genre : « As-tu des *guns* ? » ou encore « Veux-tu que Claude Poirier soit blessé dans un accident de voiture ? » Je vous avoue que j'ai eu un petit fou rire durant tout l'interrogatoire, et l'enquêteur aussi. Mais, encore une fois, c'était la procédure. Une fois terminé, il a changé de ton avec moi.

L'enquêteur a commencé à me parler de mes autres vidéos. Il m'a même avoué qu'il avait adoré ma vidéo sur la loi 48. *HOLLY SHIT*. Le pire c'est qu'au même moment, et ça, je le jure sur la tête de mes petits frères, un policier est entré dans la salle pour demander si c'était bien moi le « gars de la vidéo » ! Vous en voulez encore plus ? LE POLICIER A DEMANDÉ À L'ENQUÊTEUR SI JE POUVAIS LUI MONTRER LA FAMEUSE VIDÉO QUI ÉTAIT DANS MON TÉLÉPHONE ET L'ENQUÊTEUR A DIT OUI !

Imaginez la scène 30 secondes. Je suis assis en face d'un enquêteur qui me parle de mes vidéos qu'il a vues pour le plaisir pendant qu'un policier regarde la vidéo qui m'a mis dans ce pétrin. Vous savez, lorsqu'on dit de « profiter du moment présent » ? À ce moment précis, c'est exactement ce que j'ai fait. J'ai pris une grande respiration et j'ai gravé cette scène dans ma mémoire. Un merveilleux moment dont je me souviendrai pour le reste de ma vie ! Du beau dans du laid, comme toujours.

Ils ont fini par me relâcher, car ils ont bien vu que je n'étais une menace pour personne. Par contre et une fois de plus, c'est la procédure, ils m'ont donné la date éventuelle de mon procès (qui se trouvait à être 30 jours plus tard) avec des conditions de libération. Genre : ne pas troubler la paix ET NE PAS M'APPROCHER DE L'ASSEMBLÉE NATIONALE !

Après quoi, un procureur de la Couronne allait étudier mon dossier afin de décider s'il y avait matière à procès. Sinon, ça finissait là. Par contre, s'il jugeait qu'il y avait matière à procès, j'allais en cour et je risquais de faire de la prison pour « incitation à la haine ». Je crois que la peine de prison, dans mon cas pour ce que j'avais fait, aurait été de 15 minutes…

Je devais donc patienter 30 jours avant de savoir si une stupidité sortie de ma tête de con allait me causer des problèmes. N'oubliez pas que durant cette période je vais toujours à l'école afin d'être arpenteur. Heureusement pour moi, cette histoire n'avait pas fait de bruit dans les médias, pour la simple et bonne raison que tout le monde se câliçait de moi.

Communiqué de presse

[***High + anxiété***] Mon agent de l'époque, lui, avait d'autres projets pour moi. Pour ce type, il fallait absolument envoyer un communiqué de presse à tous les médias pour leur raconter ce qui m'était arrivé. #FacePalm ! Pour lui, il n'y avait pas de mauvaise pub. J'allais faire parler de moi et c'est tout ce qui importait. Question quiz : à 22 ans, lorsque ton agent te dit de faire un truc parce que ça va être bon pour ta carrière, tu le fais ou non ? Gagné.

On a donc envoyé un foutu communiqué de presse racontant en détail mes propos, mon arrestation, mes conditions de libération et tout le tralala. Comme de fait, le lendemain j'étais partout : *Journal de Montréal*, *La Presse*, TVA Nouvelles, *name it* ! Les articles sont encore disponibles si vous tapez mon nom dans Internet. C'est super édifiant. Des titres du genre : « UN HUMORISTE DÉBUTANT SOUHAITE LA MORT » et blablabla.

Ces articles seront toujours disponibles sur le Net, et ce, pour le reste de ma vie. Génial, non ? Ç'a pas été un super beau Noël cette année-là. Disons que je commençais 2013 sur un très, TRÈS gros faux pas.

Petite parenthèse. C'est l'une des choses que je déteste le plus sur Internet. Le fait qu'on n'a pas droit à une seconde chance. Je dirais même qu'on n'a pas droit à l'erreur, car tout ce qu'on met ou que d'autres mettent à notre place sur le Web va nous suivre pour le reste de nos vies.

À ce sujet, ma génération n'a pas le même privilège qu'a eu celle de mes parents. Bon nombre de gens influents aujourd'hui ne seraient pas dans leur position de pouvoir présentement s'ils avaient disposé d'un tel outil leur permettant de partager avec le monde entier leurs conneries de jeunesse.

Maintenant que les médias suivaient cette affaire, j'avais droit à toutes sortes d'articles de blogues. Certains pour, d'autres contre. Je vous rappelle que je vais toujours à l'école pour être arpenteur. Mon stress atteignait dès lors la barre d'une supernova. Ce qui m'a déconcentré quelque peu dans mes études…

L'animateur de radio Jacques Fabi m'avait même dédié une ligne ouverte. Il avait commencé son émission avec la question : « Que pensez-vous des humoristes comme Bonin qui vont trop loin ? » Je me souviens, j'avais appelé pour me démolir moi-même. J'en ris encore ! HA, HAHAHAHAHAHAHA ! Ostie d'con !

Le procureur de la Couronne a finalement trouvé qu'il n'y avait pas matière à poursuite. Du coup, il n'y aurait pas de procès et j'étais libre comme l'air ! La journée même, j'ai fait une vidéo pour annoncer la nouvelle à mes 7 000 abonnés. Tout le monde était bien content. Oh ! Eh oui, il était devenu possible de s'abonner à des comptes personnels et je comptais bien profiter de cette opportunité.

L'arpentage c'était chouette, mais chiant. J'ai donc tout crissé ça là. Toute cette tourmente m'avait ouvert les yeux sur deux choses : pratiquer la vulgarité en humour est difficile et nécessite une maîtrise incroyable de cet art. C'est souvent là qu'on peut différencier les imbéciles des vrais humoristes et le deuxième truc que j'ai réalisé, c'est qu'il était maintenant temps que je tente le tout pour le tout afin de mener une carrière artistique intéressante.

V

Période dépressive phase 5 : panique et anxiété

Je suis présentement en train de faire une crise de panique, d'anxiété. JE NE SAIS PAS COMMENT APPELER ÇA, MAIS ÇA FAIT MAL ! Nous sommes le samedi 27 août 2016, il est 18 h 48 en ce moment, et je ne sais pas si je vais réussir à passer au travers de cette crise. Cette fois est peut-être la bonne. Je ne sais pas, je ne sais plus…

Mon cerveau est en ébullition. Tellement que j'en suis étourdi. J'ai terriblement mal à la poitrine, j'ai l'impression que mon cœur va exploser. Mes mains tremblent, je ne sais pas si j'ai trop chaud ou trop froid et j'ai un sentiment qui se rapproche de la terreur en ce moment.

J'allume mes cigarettes avec les cigarettes que je viens de terminer. Je respire très fort et vite. Même si j'essaie de reprendre mon souffle en respirant par le nez, je n'y arrive pas. J'ai énormément mal dans le bas du dos, la douleur m'élance jusqu'à l'arrière de mes cuisses. Le simple fait d'être assis en ce moment pour écrire me fait souffrir le martyre ! J'ai l'impression d'être coincé dans mon appartement trop petit… J'étouffe, mais je suis incapable de sortir à l'extérieur. En fait, je n'ai même pas le courage de changer de pièce. J'ai beaucoup de difficulté à me concentrer pour écrire. J'ai mal, c'est insupportable. Je veux mourir et en finir une bonne fois pour toutes, SACRAMENT !

Je croyais que le fait d'écrire ce que je vis en ce moment m'aiderait à me calmer, mais ça ne change absolument rien.

J'ai juste envie d'arrêter. JE dois arrêter d'écrire, mais je n'en ai pas envie ou j'ai envie d'arrêter, mais je dois continuer? Je ne sais plus. Je suis en train de virer fou et j'ai peur d'être enfermé dans un asile qui pour moi représente le pire des endroits sur terre, car peu importe ce que tu dis là-bas, personne ne te croit. Je préfère me tirer une balle dans la tête plutôt que de perdre ma crédibilité.

J'ai pourtant pris mes cachets de Seroquel à 18 h 30, mais ils ne me font aucun effet. Qu'est-ce que je dois faire? Suis-je voué à vivre comme ça toute ma vie? J'ai les yeux pleins d'eau. C'était vraiment une idée de marde de commencer à écrire dans cet état. Je me disais que ça pouvait peut-être être pertinent pour beaucoup de gens de lire ça, et que plusieurs allaient probablement se reconnaître dans ce que j'écris…

Je dois vraiment cesser de vouloir aider les autres en ce moment et penser à m'aider, moi. Est-ce égocentrique de ma part? Pourquoi ai-je pensé que ce serait pertinent d'écrire ça? Je ne suis qu'un raté et ce que je dis n'a aucune valeur. Si vous saviez à quel point je suis malheureux présentement… Comment j'ai pu en arriver là? Comment ai-je pu descendre aussi bas?

(Pas hier, ni demain non plus ou quelque chose du genre; tk, je vais me chercher un brocoli)

J'ai l'impression d'avoir oublié comment vivre. Je ne suis pas sorti de mon appartement depuis que je suis revenu de mon rendez-vous chez le médecin, il y a six jours.

Mon appartement, BTW[4] , est dans un piètre état voire insalubre. Mon évier déborde de vaisselle sale vieille de quatre

4. BTW: au fait, à propos. Vient de l'anglais « *by the way* ».

mois. Il y a des cannettes vides, des sacs de chips, des contenants vides en plastique, éparpillés un peu partout. Mon bureau repose sous une pile de déchets qui entourent mon ordinateur. Je ne me souviens pas de ma dernière douche et je me mélange dans les journées de la semaine. J'ai vraiment l'impression d'être en chute libre dans la déchéance. C'est le chaos. Chaque jour me fait voir un peu plus à quel point ma vie est affreuse.

Tellement que j'ai décidé de faire un silence radio sur les réseaux sociaux, car j'estime qu'en ce moment l'impact sur mon état est considérable chaque fois que je m'adresse à 160 000 personnes. Toutefois je continue de consommer du Web. Et je le trouve de plus en plus laid.

Chaque jour un nouveau scandale est inventé de toutes pièces, au grand bonheur des usines à clics. N'importe quoi fait hurler tout le monde et c'est d'une lourdeur incommensurable. Les gens sont dans l'émotivité et ne prennent plus le temps de réfléchir. Tout est une question de sentiment et, évidemment, il n'y a plus de place pour la discussion. Chaque jour, des futilités cosmiques envahissent mon *newsfeed*. Une autre personne à abattre, une autre pub à dénoncer ou encore un autre blague qui ne passe pas, nous obligeant à condamner son auteur.

Cette culture du sensationnel outrageux qui attire les clics est ultra-néfaste pour la liberté d'expression, car elle pousse tout le monde à pratiquer de l'autocensure. Je suis un imbécile qui vit dans un monde d'imbéciles…

(Une couple de jours plus tard – je sais-tu, moi ?)

Imaginez, vous vous réveillez une bonne journée et vous avez soudain la certitude que tous vos accomplissements et la totalité de votre existence ne sont que de la merde. Comme ça, pour aucune raison. Du jour au lendemain, vous perdez complètement confiance en vous et vous avez envie de vous cacher dans un trou afin que personne ne puisse vous voir en proie à votre échec.

Ma vie est martelée de ces épisodes douloureux qui me frappent toujours sournoisement sans que je m'y attende et quand je parviens finalement à me reconstruire en retrouvant confiance en moi, paf! un autre épisode me heurte violemment et remet tous les compteurs à 0. Pour tout vous dire, j'en suis à me demander quelle est l'utilité de me reconstruire si je sais pertinemment que je devrai recommencer quelques semaines plus tard…

Ma vie

Chapitre 6 : décollage !

Construction d'une tribune

[*Down + anxiété*] Je n'avais pas un sou en poche et mon seul désir était d'aller au cœur de l'action : Montréal ! Un ami fort sympathique, possédant aussi un cœur d'artiste, accepta volontiers de m'héberger le temps qu'il faudrait. Il savait pertinemment que je n'avais pas d'argent, mais il restait dans un grand 4 1/2 qui lui coûtait des pinottes par mois. De plus, il avait une chambre de libre. C'était un artiste peintre et il accepta généreusement de m'accueillir afin que nous puissions combattre la solitude à deux.

Je me suis donc mis au travail. Je m'étais fixé comme objectif de réaliser une vidéo par jour pendant 30 jours. Peu importe le sujet, je devais créer un clip par jour. J'étais parmi les premiers « vlogueurs » à avoir compris qu'une vidéo téléchargée directement sur Facebook avait plus de visibilité qu'une vidéo YouTube. Rapidement le nombre des abonnés à mon compte a explosé. Je récoltais en moyenne 2 500 nouveaux abonnés par vidéo. C'était énorme. Si on avait à imager ma popularité Web sur un diagramme, il y aurait une flèche montant vers le haut à 90 degrés.

C'est comme ça que, lors du printemps 2013, j'obtenais mon premier vrai travail sur le Web. Grâce à ma tribune qui avoisinait les 80 000 abonnés, mais aussi parce qu'en dépit de mon jeune âge (23 ans), j'avais une tête sur les épaules, j'étais maintenant « vlogueur » pour le site du journal *Voir*. En gros, plus mes vidéos avaient de vues, plus je faisais d'argent. Pour la première fois de mon existence, je pouvais gagner ma vie en faisant ce que j'aimais vraiment. Les mots me manqueront toujours pour exprimer ma gratitude envers le rédacteur en chef du journal *Voir*, Simon Jodoin, qui fut le premier à me donner ma chance.

Je ne vous cacherai pas que la pression était immense. Celle de ne pas passer pour un cave. On ne parle pas du *Journal de Montréal*, mais bien d'un journal culturel respecté et bourré de gens intelligents. Au milieu de tout ce beau monde-là, se retrouve un jeune de 23 ans sans éducation, qui fait des petites vidéos dans Internet. Ouais, je me mettais beaucoup de pression pour ne pas avoir l'air du dernier des crétins. Je crois que je me suis quand même assez bien débrouillé. Mon plus grand « *hit* » fut la vidéo où je sautais une coche à propos de la catastrophe s'étant produite à Lac-Mégantic : 150 000 pages vues. Quin, toé !

Humoriste, moi !?

[***High + anxiété***] Comme un succès en attire un autre, peu de temps après mon embauche à *Voir*, le festival underground de l'humour au Québec, le ZooFest, m'approcha afin de savoir si j'étais intéressé à présenter 60 minutes d'humour cette année-là. J'ai dit oui sans aucune hésitation. Sans même demander pour quand. Dans ma tête c'était une opportunité qu'il ne fallait pas rater.

Après avoir raccroché le téléphone, j'ai compris dans quoi je venais de m'embarquer. Nous sommes en mai et je dois livrer 60 putains de minutes drôles pour le mois d'août. Ça me donne trois mois de préparation. Trois mois ! J'avais envie de pleurer. Toutefois j'ai analysé mon problème de temps et je l'ai vu de cette manière : 3 mois = 12 semaines = 84 jours = 2 016 heures = 120 960 minutes. Ce qui m'a semblé suffisant pour écrire 60 minutes d'humour. (LOL)

Je me suis donc attelé à la tâche et j'ai réussi. Ç'a été une des plus belles expériences de ma vie. J'ai adoré le fait de pouvoir avoir un contact réel avec mon public à qui je parlais chaque jour au moyen de la caméra de mon téléphone depuis les 4 dernières années. En tout, j'ai fait 7 représentations et elles se sont toutes déroulées à merveille avec en prime une moyenne de 130 personnes par show ! J'en garde un très beau souvenir et je tiens à remercier les organisateurs du ZooFest pour ça. Mille mercis xxx

Money, money, money

Au mois d'octobre de cette année-là, le propriétaire d'une petite régie publicitaire située sur la Rive-Sud à Candiac m'a approché en me demandant si j'avais envie de faire « du vrai gros cash ». Il m'a donc donné rendez-vous dans ses bureaux. Son concept était simple : faire un site, mettre de la pub, attirer des gens sur le site et faire de l'argent. Un concept qui me semblait plutôt logique. C'est comme ça qu'est né mon site, BuzzBonin.

[***High** + **anxiété***] J'ai compris les rouages de ce système et j'ai rapidement commencé à faire de l'argent. Beaucoup d'argent. J'étais payé au salaire minimum toutes les deux semaines, mais ma vraie paye était à la fin du mois, lorsque je récoltais l'argent accumulé durant tout le mois avec mon site. Il n'était pas rare que j'empochais 7 000 à 8 000 $ par mois. Du jour au lendemain, j'étais passé de pauvre à riche.

Je dépensais sans compter. J'ai acheté 5 000 $ de cadeaux de Noël cette année-là. L'année 2014 s'annonçait prometteuse ! Je n'avais qu'une chose en tête : faire du « buzz ». Tout y passait et j'étais sans scrupule. Tout ce qui m'importait, c'était le nombre de pages vues de mon site.

Sans m'en rendre compte, j'étais en train de m'embourgeoiser en tant qu'artiste. Ma tâche était plutôt simple et nécessitait peu de créativité. De plus, j'avais assez d'argent pour ne pas me soucier de devoir absolument créer. J'étais devenu une usine à clics. Il y a évidemment certains textes que je suis très fier d'avoir écrits et je suis aussi fier d'avoir rédigé des billets qui sont venus en aide à des gens dans le besoin, mais la plupart du temps, je faisais de la *saucisse*.

J'ai quand même énormément appris durant cette période. J'ai appris tout ce qu'il y avait à savoir sur la consommation Web des gens. Chose qui me sert encore aujourd'hui afin de donner des conférences et des formations dans ce domaine. Mais j'ai surtout appris à devenir une meilleure personne, plus complexe que je l'étais déjà. C'est qu'il commençait à y avoir pas mal de monde qui me suivait. J'ai toujours dit que lorsqu'on possède une tribune, on a un devoir de responsabilités qui vient avec. Et lorsque 100 000 personnes suivent tout ce qu'on dit ou fait sur le Web, il y a pas mal de responsabilités.

[***Normale***] J'ai donc décidé de m'éduquer sur plusieurs plans afin d'offrir un contenu riche, d'être apte à me défendre lors des nombreux débats sur le Web, et surtout pour éviter de dire des niaiseries. Je ne suis pas allé au cégep ni à l'université. J'avais donc du pain sur la planche. Mais je l'ai fait. Je suis autodidacte, alors je me suis débrouillé. C'est fou ce qu'on peut trouver sur Internet !

J'ai d'abord réglé mon problème d'orthographe, car je passais royalement pour un idiot chaque fois que j'écrivais un billet ou un statut bourré de fautes. Puis j'ai lu. J'ai beaucoup lu. Sur la philosophie, la sociologie, la culture… et petit à petit je devenais de moins en moins con. Ensuite, j'ai élargi mes horizons sur le monde. J'ai commencé à me poser des questions sans réponse, je me suis perdu dans mes pensées… Je me suis ouvert sur le monde réel dans lequel je vivais.

Je précise que le dernier paragraphe résume à peu près deux ans de ma vie, soit de 2013 à 2015, y compris mes trois phases circulaires de bipolarité ainsi qu'une anxiété grandissante.

[***Down + anxiété***] Cette fantastique ouverture de mon esprit m'a par contre amené un problème majeur : je trouvais maintenant que ce que je faisais et que tout ce que j'avais fait jusqu'à présent était de la grosse marde. Je n'étais plus dans l'émotion, mais dans la réflexion. Difficile de sauter une coche émotive lorsqu'on prend bien le temps de réfléchir sur le sujet et de l'analyser. Je trouvais aussi que de faire des billets de buzz manquait cruellement de créativité. J'étais donc à nouveau dans une impasse. Qu'est-ce que j'allais faire de ma vie ?

VI

Début de la phase high

Maintenant, j'ai l'impression que vous allez me trouver dur à suivre. Tout va bien aujourd'hui. J'ai l'impression de m'être réveillé d'un long coma. J'ai l'impression que tout n'est pas si pire que ça, finalement. Je me sens bien et vivant. C'est comme si j'étais moi-même et que tout était normal. Ça me fait du bien, j'avais réellement peur que ça ne revienne jamais.

Je suis calme et capable de rationaliser mes pensées. Ce qui fait que je suis légèrement inquiet, car je me souviens d'absolument toutes les pensées qui ont traversé mon esprit lors des dernières semaines horribles qui viennent de passer et je constate que mes envies de mourir sont de plus en plus présentes dans ma vie lorsque je suis dans cet état de dépression.

Il y a de quoi être inquiet, je pense. Je vais en parler avec mon médecin que je vois demain. En gros, je vais lui dire que je n'ai rien ressenti des effets du Seroquel. L'anxiété et le débalancement de mes humeurs ont été présents plus que jamais avec en bonus de l'insomnie. Comme depuis toujours finalement. J'ai bien hâte de voir ce qu'il va me dire. Je vais profiter de ce moment de lucidité pour faire un peu de ménage…

(Je pense que c'est peut-être un jour plus tard, qui sait !)

J'ai rencontré mon médecin hier. Rien de bon à l'horizon. Après lui avoir raconté ma semaine composée de crises d'anxiété et de terreur, il souhaitait m'envoyer à l'urgence, car il avait peur pour ma vie. Moi aussi d'ailleurs. Je lui ai mentionné mon inquiétude de commettre un geste irréparable lors d'une prochaine phase dépressive, puisque je ne sais plus comment je réagirai une fois que je serai à nouveau en détresse. Je me demande sans cesse si la prochaine fois sera la bonne.

Des paroles inquiétantes qui ne sont pas tombées dans l'oreille d'un sourd. Heureusement, je suis encore assez lucide pour comprendre la gravité de la situation. Mon médecin me recommande de déménager chez ma mère afin de me tenir loin de l'isolement jusqu'à ce que je sois « guéri » ou, du moins, stabilisé. Ce qui pourrait prendre plusieurs mois, voire plusieurs années.

Cela me brise profondément le cœur, car à mes yeux, il s'agit d'un énorme échec. Je devrai laisser derrière moi tout ce que j'ai mis tant de temps, de cœur et d'efforts à bâtir. Mes avoirs, mon appartement aux pyramides du Village olympique qui me rendait si fier, ma vie de Montréalais… tout ça devra être balayé de la main parce que j'aurai été incapable de surmonter cet obstacle. Ce sera un véritable retour à la case départ dans la même maison où jadis je connus mon premier succès, qui me propulsa au sommet de mes ambitions les plus folles.

Mais je suis contraint de donner raison à mon médecin. Si je souhaite réellement me remettre sur pied, je dois prendre toutes

les dispositions nécessaires. Comment puis-je
vaincre mon anxiété si je suis constamment
stressé de ne pas savoir comment je vais
me nourrir et payer mon loyer ? Comment
vais-je vaincre mon isolement en étant
seul ? Comment vais-je retrouver goût
à la vie si personne n'est là pour me
montrer sa beauté ?

~

De plus, en réaction à nos dernières querelles, mes parents ont fait des efforts considérables pour moi. Mon père a commencé un programme d'aide psychologique afin de me comprendre et de savoir comment m'aider de la meilleure des façons possible. Un geste qui me touche énormément. Quant à ma mère, elle est prête à me reprendre sous son toit sans hésitation.

Il faut savoir accepter l'aide que l'on nous tend même si pour ça nous devons piler sur notre orgueil et notre fierté. Aujourd'hui je m'avoue vaincu et tout ce que je souhaite, c'est d'arrêter de souffrir. Par contre, je ne suis pas au bout de mes peines. Quitter ma vie du jour au lendemain ne sera pas de tout repos. Mais j'ai l'intention d'y aller étape par étape. Comme je l'ai maintenant appris.

(Un nombre de jours plus tard entre 2 et 1000)

Hier j'ai accepté un contrat pour une compagnie qui souhaite que je donne une formation à ses employés sur les rouages du Web. Je devrai donner un genre de cours de deux heures devant une dizaine de rédacteurs travaillant sur différents sites Internet. J'ai 20 jours pour préparer le tout. Ç'a été plus fort que moi. Je suis en manque de projets et ma créativité bouillonne de plus en plus. Oui, c'est le début de ma phase high en ostie.

Mais puisqu'on en parle, laissez-moi vous dire ce que je pense du Web. On passe ses journées à se mettre en valeur, à rechercher de l'attention ou de l'approbation, tout ça pour quoi au fond ? Peut-être passons-nous nos journées les yeux rivés sur notre téléphone dans le but d'être informé et de ne rien manquer des derniers scoops, des dernières exclusivités et potins de l'heure ? Mais à quoi cela sert-il vraiment ? Nous passons carrément à côté de nos vies. Au lieu de vivre pleinement, nous vivons à travers les autres. Nous passons à côté de tellement de choses précieuses pendant qu'on réactualise notre fil de nouvelles, de publications et d'actualité.

C'est con à dire, mais j'ai l'impression que nous ne sommes pas si loin du monde imaginé par les Wachowski dans leur film *The Matrix*. C'est vrai, pensez-y 30 secondes ! Nous passons la majorité de notre temps dans un monde virtuel où tout est faux, contrôlé et calculé afin de nous manipuler, et croyez-moi, je sais de quoi je parle. Vous pensez vraiment que lorsqu'on vous partage une vidéo ou un article touchant, c'est réellement dans le but de vous toucher ? Faux. C'est uniquement pour les clics. Je dirais même qu'ils n'en ont rien à foutre sur le plan du système solaire de cette histoire touchante. Même chose avec tous ces pseudo-scandales. Personne n'est révolté, PERSONNE. Ces grands mots sensationnels sont là uniquement pour vous faire réagir afin d'avoir votre clic.

Vous croyez que certains influenceurs sont généreux en faisant tirer des cadeaux sur leur page Internet ? Qu'ils vous aiment et souhaitent vous remercier ? Faux. Avez-vous déjà vu un concours quelconque qui ne vous demandait pas d'aimer, de commenter et de partager la publication afin d'y participer ? Effectivement, ce n'est jamais arrivé. Il ne s'agit pas de générosité. Cette mascarade est mise en place simplement pour augmenter la portée d'une page Facebook.

L'éternelle question porte sur les nouveaux moyens dont ils disposent pour vous berner afin de récolter votre présence sur leur site. Avant la création des réseaux sociaux, une publicité était facilement identifiable. Mais maintenant, ce n'est plus le cas et les moyens employés pour y arriver sont de plus en plus astucieux.

Aujourd'hui si une entreprise souhaite promouvoir un produit, elle n'a qu'à contacter un influenceur qui voudra bien écrire un billet de blogue, prendre une photo ou faire une vidéo sur le produit en question. Nous avons donc de plus en plus droit à des articles de marde insignifiants, du genre : « J'étais en camping en fin de semaine, c'était très cool, en plus un de nos amis avait une bouteille de vodka ShitFuck ! Elle était vraiment bonne, nous avons passé un bon moment (et blablabla, rien de tout ça n'est vrai – fin). »

Vous me direz que les publicitaires ne font que s'adapter, mais je ne sais pas si c'est pour le mieux. Bref, je suis probablement en plein délire sur mon high et je n'écris pas ce livre dans le but d'ouvrir un débat à propos du placement de produits dans Internet.

~

Au fond, j'essaie de dire que je commence à croire que nous passons à côté de nos vies en étant connectés jour et nuit devant nos écrans, car la grande majorité de ce que nous consommons sur le Web n'est que le fruit d'une manipulation astucieuse et trop souvent fallacieuse qui nous présente du faux afin de camoufler les vraies raisons de l'existence de ces contenus : faire encore et toujours plus d'argent.

~

Dès lors, je trouve que le geste de se « déconnecter » d'Internet devient une belle métaphore lorsque l'on songe au but premier des protagonistes dans le film *The Matrix*, qui est justement de libérer l'humanité en les déconnectant d'un monde virtuel qui contrôle leur vie.

La conférence que je dois donner devant une dizaine de personnes dans 20 jours a beau me stresser, j'y vois une occasion de conscientiser les artisans du Web de demain aux bonnes pratiques à adopter afin d'offrir du contenu de qualité, de manière honnête même lorsqu'il s'agira d'une publicité ; car oui, c'est possible de présenter une publicité de manière originale et honnête aux internautes. Disons que ce sera ma contribution afin de faire en sorte qu'il y ait le moins de cochonneries possible dans votre fil d'actualité.

Ma vie

Chapitre 7 : rêve en carton-pâte

[***Down + anxiété***] Je me souviens très bien de l'hiver 2015. J'étais pratiquement sans le sou et j'habitais seul l'appartement où j'avais vécu avec mon coloc, car il était parti depuis un bon moment vivre d'autres aventures. Cet appart était mal isolé, et pour économiser sur l'électricité, je mettais des vêtements chauds afin de garder les calorifères fermés. J'étais dans un endroit, seul et froid, à me demander à nouveau ce que j'allais faire de ma vie. Puis, un beau jour de février lorsque j'étais accroupi dans le couloir de mon appartement, mon téléphone a sonné.

C'était MusiquePlus. On voulait savoir si j'étais intéressé à animer une émission de type tribune téléphonique en direct à la télé. J'ai dit oui puis ils m'ont donné rendez-vous le lendemain et on a raccroché. J'ai pleuré toutes les larmes de mon corps. J'avais ENFIN réussi ! Mon rêve devenait réalité ! J'ALLAIS *FUCKING* FAIRE DE LA TÉLÉ !

Toutefois, j'ai crié victoire un peu trop vite. J'allais effectivement animer une émission de télé, certes, mais il aura fallu un temps fou avant de commencer les préparatifs du show. Ils visaient le mois de juin, mais c'est en septembre qu'ils ont finalement décidé de mettre en ondes mon émission. Une nouvelle que j'ai apprise au mois d'août après une attente interminable de six mois. Par le fait même, c'est durant ce mois que j'ai rencontré pour la première fois l'équipe de production externe qui allait travailler avec moi.

Je vous mets dans le contexte : nous sommes début août et nous avons jusqu'à la mi-septembre pour créer un show de toutes pièces, incluant les décors, la logistique, ce que je vais faire, TOUT ! En un mois. Je vous rappelle aussi que je n'ai jamais fait de télé de ma sainte vie et que je m'apprête à animer une émission en direct d'une heure où je devrai improviser sur des appels que je vais recevoir. Je n'ai jamais suivi de cours ou eu de formation pour ça. Oh ! dernière chose : on a appris que ce serait diffusé le lundi à 23 h juste après l'émission *Catfish* qui vise un public de jeunes filles.

Bref, tous les éléments étaient réunis pour que l'émission *Bonin* soit un véritable flop et ce fut le cas. Reste que ç'a été la meilleure école de télé de l'univers, mais l'émission en tant que telle était broche à foin, du niveau ton père qui répare sa vitre de char avec du *scotch tape.*

Les 17 pires semaines de ma vie, bien que j'étais tout de même sur un high incroyable avec beaucoup d'anxiété, puisque j'animais une émission de télé qui portait mon putain de nom de famille ! Mis à part le producteur qui, comme moi, ne savait pas trop où on s'en allait avec ça… je n'ai reçu d'aide de personne. Chaque semaine je devais construire 60 minutes de télé à partir de rien et plus les épisodes avançaient, moins on prenait d'appels, car la « direction » jugeait que ce n'était pas pertinent en raison de la qualité des appels. Par conséquent, j'avais de plus en plus de matériel à écrire pour ce câlice de show.

Je ne sais pas si vous savez, mais écrire 60 minutes de télé en 6 jours pour ensuite le livrer en direct à la télé, c'est stressant en tabarnak. Ajoutez-y la case horaire du lundi 23 h et vous obtenez une jolie catastrophe télévisuelle. Je vous dirais que ce qui m'a le plus fait mal, ce fut la destruction de mon rêve de p'tit cul. Ce n'était pas cool de faire de la télé, au bout du compte, mais surtout dans ces conditions…

Je m'imaginais que la télé était un monde fabuleux pour finalement constater que ce n'était que du faux. Dans ce milieu, tout est en carton. Les décors, les promesses, les amis… tout est faux. La prise de conscience qu'une fois au sommet de ma montagne je n'étais pas plus heureux m'a fait très mal. Quelques semaines après la finale de mon émission, j'ai été convoqué dans les bureaux de la direction. En deux minutes on m'annonça qu'il n'y aurait pas de suite et… c'est tout. Merci, bye-bye et joyeux Noël.

Cette expérience télévisuelle a vraiment accentué mes crises d'anxiété. Plus le temps avançait et plus les crises s'accentuaient. Au commencement de la saison, mon anxiété était de quelques minutes comme toujours, puis de quelques heures et vers la fin de la saison, je me levais et je me couchais plus anxieux que jamais. Est-ce que je suis fait pour ce métier? Oui, sans l'ombre d'un doute. Dans ces conditions? Absolument pas.

J'ai donné tout ce que j'avais dans mes tripes, mais ce n'était pas suffisant. J'avais la pression de tout un show sur mes épaules. À un moment donné, je crois que le corps humain a ses limites et je les ai largement dépassées. J'ai profité des mois de décembre et de janvier pour me reposer, j'en avais grandement besoin.

Travail de 9 à 5

À la mi-janvier 2016, le Groupe V média me contactait. On avait un autre travail à m'offrir: créateur de contenu Web. J'avais besoin d'un travail, en plus c'était dans un domaine que je connaissais bien. J'ai donc accepté le poste. Rapidement j'ai su prendre ma place. J'avais pas mal d'expérience en plus de ne pas être gêné. Il n'était pas rare que j'exprime mes opinions haut et fort lors des réunions avec les cadres de l'entreprise.

[***High + anxiété***] Seulement quatre mois après mon embauche, j'ai été nommé superviseur de la division sociale de l'entreprise. J'avais à ma charge deux gestionnaires de communauté, en plus de devoir établir les stratégies sociales pour l'ensemble des pages Facebook de V, MusiquePlus et Max (environ une dizaine). Je le répète, je ne suis en poste que depuis quatre mois. Les deux premiers mois se sont plutôt bien passés même si je ressentais énormément de pression.

Puis, ma santé a commencé à décliner… ou déconner! J'avais de la difficulté à me concentrer, je pleurais des fois derrière mon écran d'ordi pour aucune raison, je me sentais perdu et… je commençais à avoir de plus en plus envie de me tuer. J'ai donc discrètement averti mon supérieur qu'un truc clochait avec ma santé mentale et que j'allais prendre les mesures nécessaires afin de régler ce problème.

Trois semaines plus tard, la direction des ressources humaines me rencontrait pour me faire signer un papier comme quoi, d'un commun accord, je ne travaillerais plus pour le Groupe V. *Merci et nos salutations.* Deux jours plus tard, j'ai reçu une lettre par la poste de leur part résumant ce qu'on s'était dit, mais de manière plus formelle. Cette lettre m'expliquait que je n'étais pas apte à remplir les fonctions de mon emploi. J'ai collé cette lettre sur mon mur en face de mon ordi afin de me rappeler que la télé m'a pris, m'a bouffé et m'a littéralement chié.

Je dois tout de même préciser que le Groupe V m'a offert un boulot bien sympa et, franchement, je m'y plaisais beaucoup. Lorsqu'on m'a annoncé que j'allais devenir superviseur, j'ai interprété ça comme une annonce gigantesque, tel un dépressif qui apprend qu'il vient de gagner 1 million de dollars.

J'étais complètement déstabilisé. Comment devais-je réagir ? J'ai vu ça plus gros que ce l'était et je suis persuadé que ça a été l'élément déclencheur du déréglage psychologique de la personne fragile et instable que j'étais à ce moment-là. Je n'étais pas prêt pour ça et eux ne le savaient pas. Puis-je vraiment leur en vouloir? Pas le moins du monde. Je crois qu'ils ont pris la bonne décision. Un superviseur émotionnellement instable… Je veux dire, effectivement, je n'étais pas apte à remplir les critères de l'emploi. Putain de bipolarité.

Et que ce soit clair, je ne dis pas cela de peur de perdre de précieux contacts dans le monde télévisuel. Ils ont eu raison de faire ce qu'ils ont fait. Si j'avais été à leur place, j'aurais fait la même chose. Point final.

VII

Phase high, que j'appelle affectueusement la phase Superman

(Partie du livre écrite depuis mon cellulaire; urgence de l'hôpital Anna-Laberge, à Châteauguay)

Je me suis présenté à l'urgence d'Anna-Laberge de plein gré, car ils ont un service psychiatrique. Ce qui me permettra donc d'être suivi par un spécialiste en santé mentale. Je dois absolument redevenir fonctionnel. J'ai des projets plein la tête, mais je suis bloqué par cette foutue anxiété de merde qui m'empêche de vivre et de faire quoi que ce soit !

Bref, j'ai finalement rencontré le médecin généraliste. Il était bien sympathique et, après m'avoir posé quelques questions, il m'a annoncé que j'étais officiellement « gardé de force » jusqu'à ce que je voie un psychiatre… le lendemain. J'ai accepté sans faire de scène. J'étais même plus que d'accord avec cette décision, puisque j'avais sérieusement peur de faire une connerie. Du genre que si je ne réglais pas mon problème sur-le-champ, je me tuais. Aussi simple que ça.

J'ai donc passé une nuit sur un lit d'hôpital, bourré de tranquillisants. Pour tout vous dire et ce n'est pas à cause des tranquillisants, je me sentais franchement bien et en sécurité. J'avais carrément l'impression d'être dans un bunker où tous les problèmes de ma vie extérieure ne pouvaient plus pénétrer. J'étais seul avec moi-même et je recevais exactement l'aide dont j'avais besoin.

J'ai finalement rencontré un psychiatre le lendemain. J'étais bien heureux de voir qu'il s'agissait de celle que j'avais vue la première fois que mon médecin de famille m'avait envoyé consulter à l'hôpital Anna-Laberge. Mes dires et mes réponses à ses questions n'ont que confirmé son premier diagnostic: bipolaire de type 2 avec un trouble d'anxiété généralisée ET, à mon grand étonnement, elle m'a appris que j'étais aussi en burnout.

Je me suis trouvé un peu con de ne pas y avoir songé avant. Bref, nous avons repris la médication de départ: Epival (un stabilisateur d'humeur) et clonazépam (un anxiolytique), mais avec des doses plus élevées. Maintenant je prends deux doses de 500 mg d'Epival au lieu de 250 et 1 mg de clonazépam au lieu de 0,5 par jour. Elle m'a aussi mis en observation une journée supplémentaire. J'ai vu ça comme si je prenais des vacances de ma propre vie.

(Fin de l'écriture sur mon iPhone)

C'est lors de cette deuxième journée que j'eus envie de partager ce que je vivais. Non pas dans le but d'avoir de la sympathie populaire, mais pour démontrer qu'il y a des options et des solutions disponibles pour les gens dans ma situation. J'ai donc transmis ce message à 160 000 personnes, accompagné d'une photo de moi sur mon lit d'hôpital avec un pouce en l'air:

> *Hier n'a pas été une super journée… Je vous épargne les détails. J'ai décidé de me présenter moi-même à l'urgence afin d'éviter de… You know…*
>
> *Ils ont décidé de me garder 48 heures. Bilan: bipolaire de type 2, trouble d'anxiété généralisée et… burnout. Je vous le dis sans la moindre gêne. Personne*

ne devrait être gêné d'avoir quelque chose qui est hors de son contrôle. Il faut admettre qu'on a un problème et surtout accepter l'aide qui nous est offerte.

~

Je ne vous le cacherai pas, ce n'est pas facile et c'est un long, très long combat. Mais je suis persuadé qu'il en vaut la peine. La vie est trop courte et il faut en profiter au maximum sans avoir de boulet enchaîné à notre pied.

Moi je vous dis : ne faites pas la même gaffe que moi. Cessez de souffrir en silence et demandez de l'aide. Tout le monde a droit au bonheur ! Prenez soin de vous, je vous aime, et au plaisir de vous faire sourire à nouveau.

Xxx

~

Je n'y étais pas préparé… En deux jours cette publication Facebook a eu 30 000 j'aime. Le but derrière cette manœuvre était de briser le tabou de la maladie mentale. De donner l'exemple et d'encourager les gens à briser le silence.

~

Comme je l'ai dit, je crois que ceux qui
possèdent une tribune ont des responsabilités.
Cela a toujours été ma devise. Au diable ceux
qui pratiquent le sensationnalisme et les
tentatives de créer de la polémique !
Dans mon cœur, je sais que je fais tout ceci
pour les bonnes raisons et c'est la
seule chose qui importe.

~

(Jour...)

Je suis de retour chez moi et pour la première fois depuis un bon bout de temps je peux quasiment dire que j'ai toute ma tête. Mais surtout, je ne ressens pas la moindre trace d'anxiété en ce moment. La dernière fois que je me suis senti comme ça, c'était en 1992. Je vais quand même attendre avant de crier victoire.

J'ai été très actif aujourd'hui. Je prépare tranquillement et surtout sans stress le grand abandon de ma vie antérieure en laissant tout derrière moi. J'ai aussi parlé avec mon agent (un nouveau avec qui je travaille depuis plus de deux ans). Un homme extraordinaire qui a toujours été là pour moi. Sa copine fait partie de l'Ordre des psychologues du Québec. Ils vont tenter de me donner accès à un psy. Je crois que j'en ai besoin. Je m'arrange tranquillement pas vite afin que la seule chose que j'aurai à faire pour un bon bout de temps sera de me reconstruire, morceau par morceau.

(Quelques jours plus tard… avec un McDouble et un Sprite)

Un autre aspect que je me devais de régler était ma santé financière. Pour vous donner une idée, je n'ai pas fait de déclaration de revenus, je n'ai pas payé mes cartes de crédit et autres dettes (sauf pour l'auto), depuis 2008. Ma cote de crédit est de niveau « intersidéral » tant elle est « astronomiquement » désastreuse. (Oui, j'aime beaucoup les références au cosmos.)

J'ai donc pris la décision de faire faillite. En fait, je sors tout juste de chez le fiscaliste. Tous les papiers sont signés. Je n'ai officiellement plus rien. J'ai un peu pleuré en arrivant chez moi. Un mélange de honte et de soulagement sans doute. Mais je me devais de le faire. Si je veux repartir à 0, cette démarche faisait inévitablement partie du processus.

J'ai l'intention d'entrer dans une profonde réflexion afin de faire le point sur ma vie et de peut-être finalement trouver ma voie. Je suis convaincu que pour la première fois, je fais les bons choix. Aujourd'hui fut malgré tout une belle journée et j'espère de tout mon cœur que les autres seront comme celle-ci.

(Je pense que c'est une semaine plus tard, mais je peux me tromper !)

Je vais beaucoup mieux. Mon moral est bon, je suis en pleine forme, mais je sais très bien que je suis au sommet de mon high de bipolaire.

Je n'ai pas besoin de beaucoup de sommeil, mon cerveau est en ébullition et j'ai 14 000 idées de projets. Je donne une conférence sur le Web cette semaine et j'ai écrit un document de 27 pages en 2 jours. J'ai des pulsions d'achats complètement inutiles. J'ai l'impression que tout ne va pas assez vite à mon goût et que les gens autour de moi fonctionnent au ralenti. Je suis incapable de rester en place. IL FAUT QUE ÇA BOUGE LÀ, MAINTENANT. GO GO GO !

Je dois constamment être actif. Si je ne suis pas en train de travailler sur un projet stimulant, j'ai l'impression que je vais littéralement exploser. JE VEUX ALLER SUR LA LUNE ! JE VEUX ÊTRE UN SOLDAT À LA GUERRE DANS UNE TRANCHÉE ! Mon moral est bon, je suis actif, créatif…je suis *fucking* Superman et rien n'est à mon épreuve ! Je crois que la dose de mon stabilisateur d'humeur n'est pas encore assez forte. Je vais en parler à ma psychiatre lors de notre prochain rendez-vous parce qu'à ce rythme, je vais acheter un pays !

Mes pulsions d'achats sont de plus en plus fortes. Je commence à combiner des plans pour avoir de l'argent. Je dois vendre ceci pour m'acheter cela, pour l'échanger contre ce que je veux ou obtenir une commandite de la société qui fabrique l'objet que je veux. J'ai besoin de rendre à terme des projets qui vont me rapporter de l'argent làlà, maintenant !

Au moins, la médication que je prends m'aide à comprendre ce qui m'arrive. Ainsi je suis en mesure de limiter les dégâts, comme de ne pas déposer une deuxième fois un chèque que j'ai déjà déposé pour avoir de l'argent que je n'ai pas ou embarquer d'autres gens dans mes projets de fou ou éviter d'appeler le PDG d'une compagnie pour lui faire un *pitch* de vente… Oh oui, je suis capable d'aller jusque-là !

(Un an plus tard. Non, je déconne)

Je suis toujours sur mon high de bipolarité, aucun doute là-dessus. Je vous raconte ma journée : depuis quatre jours, j'ai une envie intense d'avoir une nouvelle cigarette électronique. Mais ce n'est pas une simple petite envie d'avoir un nouveau jouet, non. C'est une question de survie. J'ai besoin d'avoir cet objet. Je le veux et je vais l'avoir. Point barre.

Évidemment on peut mettre un nom là-dessus : trouble obsessif compulsif. En effet je crois remplir les critères de l'emploi. Mais je vous invite à voir ça sous un autre angle, car ma personnalité n'est pas que constituée de ce trouble. Il y a tellement d'éléments qui forgent une personnalité. Moi je vois ça comme un orchestre symphonique.

Imaginez que chaque musicien représente un trait de notre personnalité. Si chaque musicien joue à sa façon et dans le désordre, il en émanera une pièce cacophonique que l'on pourrait qualifier de totale merde. Mais si chaque musicien joue ce qu'il doit jouer au bon moment tout en étant dirigé par le chef d'orchestre, cela donnera lieu à une magnifique mélodie.

Revenons maintenant à mon obsession pour cette foutue cigarette électronique. Ce matin, je n'en pouvais plus, il m'en fallait une. J'ai donc enfilé ma plus belle chemise Lacoste, mis un pantalon propre donnant sur des chaussures sport Converse faites sur mesure, avec montre Nixon et lunettes Ray-Ban en guise d'accessoires et j'ai pris le bus en direction de Montréal.

Je suis allé dans la boutique de cigarettes électroniques la plus populaire pour parler au patron. La veille j'avais monté tout un plan d'affaires et j'avais la ferme intention de lui en mettre plein la vue. Du courage, c'est tout ce que j'avais en poche.

J'ai non seulement eu une cigarette électronique au bout de notre entretien, mais j'ai eu aussi une opportunité. Celle de devenir représentant de marque dans un marché en plein essor. Nous devons nous redonner des nouvelles sous peu. C'est sur une bonne poignée de main prometteuse que j'ai quitté la boutique.

Je me pose donc la question : ai-je vraiment envie de me séparer de ce trouble obsessif « machin » ? Aurais-je créé une aussi belle opportunité sans ce trait de caractère ? Moi je crois que tout dépend du chef d'orchestre. (*DROP THE MIC*)

(Blablabla jour)

J'ai énormément besoin de créer. Sans but précis, pas pour faire de l'argent ni pour montrer mes créations… J'ai tout simplement besoin de créer. Et quand je dis *besoin*, je pèse mes mots.

Le dernier high que j'ai eu, c'était durant mon show de télé ; donc, pas de problème sur le plan de la création puisque c'était mon travail ! Mais qu'en est-il aujourd'hui ? Je réside dans la maison de campagne de ma mère qui donne sur les champs où il me suffit de rester en vie. Il y a certes quelques petits projets ici et là comme l'écriture de ce livre, mais sinon ?

Ben imaginez-vous donc que depuis trois jours je travaille sur l'établi de mon beau-père à la confection d'une sorte de ventilateur visant à aspirer la fumée de ma cigarette électronique. Ouais, trois nuits blanches à démonter des objets pour leur donner une nouvelle vie. Je ne sais pas vraiment pourquoi un ventilateur… je ne sais pas. JE N'EN AI AUCUNE IDÉE, O. K. !

N'empêche que je travaille ardemment sur ce projet comme si ma vie en dépendait. Et quand je ne travaille pas sur mon projet, il occupe toutes mes pensées. « Il serait plus efficace avec tel type de moteur. » Ou : *Je pourrais le positionner de telle manière en utilisant tels matériaux !* me dis-je tout en soupant à table ou avant de me coucher. Créer pour créer, est-ce un symptôme ou est-ce un plaisir de la vie ?

MA VIE

Chapitre 8 : S. O. S.

À l'aide, je me meurs

[*Normale + High + Down + anxiété*] Mon monde s'est effondré sous mes pieds à la suite de ma perte d'emploi. Tous mes symptômes se sont amplifiés : crises de panique, anxiété généralisée, cycles déphasés de dépression, de high et, surtout, j'avais des envies de plus en plus fortes de mourir. Je me suis isolé dans mon appartement sans sortir une seule fois durant plusieurs semaines.

Il y a des journées entières où je n'étais même pas capable de changer de pièce. Ce n'était plus de l'angoisse ni de l'anxiété, j'avais un véritable sentiment de terreur. Terrorisé par ce que je vivais, mes pensées noires et des gestes irréparables que je pouvais potentiellement commettre. J'étais constamment dans la crainte, seul, dans un minuscule appartement aux pyramides du Village olympique.

Lorsque j'en trouvais la force, je montais jusqu'au 19e étage afin de m'asseoir sur la corniche qui offrait une vue imprenable sur la ville de Montréal le soir, mais surtout, sur le sol qui semblait si loin d'où j'étais.

Je vous dirais que la seule raison de n'avoir pas sauté de ce foutu toit, c'était mon incertitude quant à ma chute. Je ne savais pas si j'allais avoir l'élan suffisant pour atterrir sur le gazon. Il était hors de question que je m'éclate la face sur une dalle de béton. Il y a tout de même des limites !

J'ai aussi envisagé de mourir dans mon bain avec des méduses comme dans le film *Sept vies*, mais… c'est légèrement difficile de se procurer des putains de méduses au centre-ville de Montréal. Sérieusement, pour tout vous dire, je souhaitais mourir avec style. La raison m'a finalement frappé en plein visage.

J'avais besoin d'aide et c'est ce que j'ai fait. Avec le peu de force qu'il me restait, je suis allé chercher de l'aide auprès de mon médecin de famille et je lui ai tout raconté. Il m'a obtenu un rendez-vous dans une clinique de santé mentale… Vous connaissez la suite. (C'EST LE DÉBUT DU LIVRE SI TU N'AVAIS PAS COMPRIS ! C'EST FORT, HEIN !)

VIII

Phase normale

Depuis deux semaines, je vais mieux. On a trouvé un cocktail de pilules qui me fait beaucoup de bien :

- Matin : 500 mg Epival + 1 mg clonazépam
- Midi : 500 mg Epival + 1 mg clonazépam
- Soir : 500 mg Epival + 1 mg clonazépam + 50 mg lamotrigine
- Nuit : 50 mg Lamotrigine +7,5 mg zopiclone

Coût total pour un mois de cette médication avec la Régie de l'assurance maladie du Québec (RAMQ) : 100 $. Pour le reste de ma vie. Sans ces médocs, je me tue ou j'achète une planète. Ne reste plus qu'à trouver comment je vais me payer ça. Je trouverai bien une solution. Je trouve toujours des solutions !

Le plus gros changement avec l'aide de ces médicaments, c'est que maintenant je suis en mesure de pouvoir identifier ce que je vis dans ma tête. Je comprends mes phases high et mes phases dépressives. Le plus beau dans tout ça, c'est que tout est contrôlé et tout ce que j'ai à faire, c'est de respirer un grand coup et de me contrôler, car je sais exactement ce que je vis, mais les troubles sont toujours là. Je les sens en moi et j'ai l'impression d'avoir mis en cage un animal sauvage.

Il me restait aussi une dernière étape afin de vraiment remettre tous les compteurs à 0 : ma santé physique. J'ai donc progressivement changé mes habitudes alimentaires et de vie. Je ne suis vraiment pas un gars de routine, vraiment pas. Je chierais sur toutes les jobs qui exigent du 9 à 5. Par contre, avoir une routine de vie, ça c'est différent. C'est même essentiel pour un mode de vie saine, je crois. C'est un peu comme réapprendre à vivre. Je n'ai rien de mieux à faire, de toute façon.

Ça fait maintenant trois semaines que j'ai ma petite routine et je me sens bien dans ma peau. J'ai l'esprit libre et clair. De plus, la dynamique familiale se porte à merveille ! Je parle plus, je suis plus souriant et c'est vraiment agréable. Et j'ai l'impression que cet état de paix dans lequel je suis est là pour durer. Malheureusement les médicaments que je prends le soir pour dormir font de moins en moins effet. En fait, ils ne font plus aucun effet. Par conséquent, je souffre à nouveau d'insomnie. J'ai beau être actif toute la journée et bien manger, rien n'y fait. À minuit, je suis incapable de m'endormir. C'est un problème puisque le fait de m'endormir à 4 h du matin fait en sorte que je me réveille vers midi. Je passe donc ma médication du matin ainsi qu'un de mes trois repas.

Je commence tranquillement pas vite à en ressentir les effets : perte de motivation, laisser-aller sur ma routine de vie, etc. La question que je me pose : *est-ce la fin de ma phase normale ou ai-je besoin d'un simple ajustement de la médication que je prends pour dormir* ? Ça me fait un peu peur, tout ça, car je sais très bien ce qui suit cette phase : la dépression. De plus, nous sommes au mois d'octobre et j'ai toujours considéré les mois d'octobre, novembre, décembre, janvier et février comme les pires mois de l'année, côté dépression. Ma médication et ma petite routine de vie vont-elles tenir le coup durant la période la plus froide et sombre de l'année ?

Je ne le sais pas, mais je me dois de rester positif, car je suis convaincu que c'est la clé. Je vois donc ça comme une belle épreuve. À l'exception que cette fois-ci, c'est différent, puisque je suis bien armé pour y faire face. Je me suis débarrassé de toutes mes sources d'anxiété et je suis bien entouré. La seule chose à faire, c'est de ne pas perdre de vue mon objectif: ne pas mourir… (LOL)

Je savais pertinemment dès cette prise en main que le vent allait souffler tôt ou tard. Mes phases ont toujours été ainsi de manière circulaire: dépression, high et normale. Étant dans ma phase normale, je me suis donc construit une maison en briques et j'espère que le loup n'arrivera pas à la décâlicer. Pour l'instant tout tient en place excepté mon insomnie qui devrait être réglée sous peu. C'est le temps d'agir maintenant sans plus tarder, car je vois la tempête qui approche au loin.

C'est toujours comme ça lorsque je suis dans ma phase normale. Je répare les pots que j'ai cassés lors de mes phases dépressives et surtout lors de mes highs. J'appelle les banques pour prendre des arrangements concernant les chèques que j'ai déposés deux fois grâce à l'application des banques qui nous permettent maintenant de déposer un chèque avec une photo de ce dernier, j'appelle les amis que j'ai blessés durant ma phase dépressive en repoussant leur aide afin de m'excuser et j'essaie de faire un peu de ménage dans ma vie. Malheureusement pour moi, ma phase normale est la plus courte de mes trois phases. Au moins cette fois-ci je ne suis pas envahi par l'anxiété. Ce qui me permet d'être plus efficace et plus concentré sur ce que je dois faire, sachant ce qui s'en vient.

Le reste du livre a été écrit durant ma phase normale. Vous verrez à quel point tout est soudainement plus lucide.

IX

Phase normale : rétrospection : cinq étapes importantes

Réflexion

J'aurais tant aimé savoir que ce que j'ai vécu toute ma vie, c'était ça. Cela m'aurait probablement évité bien des soucis, mais en même temps je me dis qu'il aurait été impossible pour moi de le savoir. La bipolarité a le pouvoir d'être invisible et cette maladie (je déteste la nommer ainsi) fait partie intégrante de notre psyché. Notre vision du monde est donc biaisée puisque nous ne le regardons pas avec la même lentille que les autres.

J'ai beaucoup réfléchi à tout ce que j'ai écrit jusqu'à présent et une question me revient sans cesse: cela s'est-il vraiment passé comme je l'ai décrit ou était-ce ma vision des choses qui était amplifiée ou empirée par ma bipolarité? Quoi qu'il en soit, c'est ainsi que j'ai perçu ces 26 dernières années de ma vie.

C'est une sacrée histoire, tout ça. Honnêtement je ne pensais jamais qu'un jour j'allais mettre tout ça sur papier. J'ai compris énormément de choses sur ma vie, la manière dont je l'ai vécue. Je me pose aussi beaucoup de questions. *Suis-je responsable de mes malheurs et mes réussites? À quel point ma bipolarité et mon trouble d'anxiété généralisée ont-ils joué un rôle dans l'histoire de ma vie?*

Je n'aurai probablement jamais de réponses à ces questions. Un vieux dicton nous enseigne qu'il ne faut jamais regarder en arrière et toujours aller de l'avant. Certes il faut aussi savoir apprendre de ses erreurs. Dans le cas d'un bipolaire, c'est d'autant plus complexe, car nos bons coups peuvent parfois s'avérer être des erreurs. L'achat de ma Mazda 6 me semblait un bon coup, pour vous donner un exemple…

Alors, comment on fait pour apprendre de ses erreurs? Perso, je crois que c'est impossible pour nous. Le dicton *Apprendre de ses erreurs* ne s'applique tout simplement pas dans notre cas. Il nous faut être plus malins.

Il faut voir venir les erreurs potentielles, même si elles se présentent sous forme d'opportunités, afin de les éviter. Nous devons savoir en permanence quelle phase nous avons atteinte afin de contrôler nos envies d'acheter la planète ou de s'enlever la vie. C'est un peu comme si nous étions constamment en guerre contre nous-mêmes. Heureusement nous connaissons très bien l'ennemie ou du moins nous essayons de l'amadouer. Tout ce que nous avons à faire, c'est de transformer cette ennemie en alliée.

Je suis profondément convaincu que nous sommes des personnes créatives, intelligentes et complexes. Malgré tout ce chaos, nous sommes capables d'accomplir de grandes choses, de vivre des émotions puissantes et de toujours réussir à trouver des solutions. La bipolarité n'est pas une maladie. C'est un puissant outil qui, lorsque contrôlé, nous permet d'accomplir l'impossible. – Parole d'un bipolaire sur un high. (LOL)

1. Le long chemin de la guérison

Le chemin pour arriver à contrôler ce puissant outil n'est pas sans épreuves. Ce chemin long et douloureux est parsemé d'embûches et de tentations malsaines. Vous devrez accepter ce que vous vivez. Vous devrez piler sur votre orgueil et en parler. Vous devrez aller chercher de l'aide. S'ensuivra une panoplie de diagnostics différents, de médications différentes, d'attentes douloureuses et de nombreux retours au point de départ. Vous aurez finalement l'impression que vous avez trouvé la bonne recette pour finalement vous apercevoir que vous n'étiez que dans un high.

Vous voudrez alors tout abandonner. Vous serez à bout de forces au moment où vous en aurez besoin plus que jamais. Vous perdrez des amis, des amours et vous aurez l'impression d'avoir perdu tout ce à quoi vous teniez vraiment. Vous vous demanderez sans cesse à quoi bon vous battre. À quoi bon s'accrocher à cette vie de marde.

Tout sera noir et sombre et c'est à ce moment précis que vous devrez vous rappeler qui vous êtes et ce dont vous êtes capable. La vie, votre vie, vaut pleinement la peine d'être vécue. Je vous en donne ma parole. Viendra alors un nouveau souffle qui vous permettra de franchir la ligne d'arrivée de ce chemin infernal.

Je sais que ça semble atroce, mais c'est faisable. Si j'ai réussi à le faire, tout le monde en est capable. Une fois que vous serez entre bonnes mains, vous verrez à quel point la vie peut être simple et belle. Rempli de bonheur et de joie, de couleur et d'émerveillement devant les petites choses que vous ne remarquiez pas dans votre quotidien, vous vous libérerez enfin de cet immense nuage noir au-dessus de votre tête qui vous suit partout depuis trop longtemps.

2. Affronter la peur

Vous ne devez pas voir ça comme un obstacle, mais plutôt comme un défi. Je sais que beaucoup de gens ont peur d'aller consulter afin de se faire confirmer un diagnostic de santé mentale. Je sais que certaines personnes sont dans le doute. Elles croient avoir telle ou telle maladie mentale, mais n'osent pas aller consulter de crainte que leurs soupçons soient confirmés.

Il est primordial de consulter. Vous faire confirmer ou infirmer que vous avez une maladie mentale ou non pourrait absolument tout changer. Ne restez pas dans le doute. Ce n'est pas comme si vous étiez dans l'incertitude par rapport à un cancer ! Une fois que vous aurez réponse à vos questions, vous pourrez envisager toutes les possibilités. Rester dans le doute a pour seul effet de vous lier les mains.

3. La bonne médication

J'ai dit qu'il était très important de décrire vos symptômes avec une précision chirurgicale lorsque vous rencontrerez un expert en santé mentale. Mais j'ai oublié de spécifier qu'il est aussi très important de décrire votre personnalité. Moi, je suis un créatif et sans cette créativité je ne suis plus rien. La médication que je prends est donc liée à ma personnalité afin de faire en sorte qu'elle reste le plus intacte possible, tout en éliminant ce qui m'empêche de fonctionner. Il existe des combinaisons illimitées de médications que l'on peut vous prescrire selon votre maladie mentale. Il faut parfois s'astreindre à plusieurs essais et erreurs avant de trouver le bon dosage. Il n'existe pas de recette miracle et puisque chaque personne est différente, la bonne recette doit forcément l'être aussi.

La première chose que j'ai mentionnée à ma psychiatre, c'est que je suis un être créatif. Vous n'avez aucune idée de tous les projets que j'entretiens, qui naissent et foisonnent chaque jour dans mon esprit, et du processus derrière chaque idée, pour qu'elles se rendent ou non dans votre fil d'actualité. Que ce soit de faire des vidéos de Lego, des sketchs loufoques, statuts ou billets de blogue qui briseraient l'Internet… j'ai un fun fou à laisser aller ma créativité et sans elle je ne suis rien. Peu importent vos talents ou vos compétences, il est important qu'ils ne soient jamais affectés par votre médication. Au moindre signe que vous perdez la moindre parcelle de ce en quoi vous êtes bon, sonnez immédiatement l'alarme, afin que votre médecin ajuste votre prescription en conséquence.

4. La compréhension

Soyez compréhensif envers votre entourage même si ce n'est pas toujours évident. Les personnes proches ne comprennent absolument rien de ce que vous vivez. Donnez-leur des points de repère afin de les aider à mieux comprendre vers quoi s'orienter en vue de vous apporter le soutien dont vous avez besoin. Ne vivez pas cette épreuve seul et entourez-vous des bonnes personnes, car elles aussi doivent faire un travail afin de vous venir en aide.

Éloignez-vous des personnes néfastes qui ne cherchent qu'à se valoriser en vous apportant une fausse aide. Vous devez encore une fois être malin afin d'identifier ces gens, et même si cela sera parfois difficile, vous devrez vous en débarrasser. La seule réalité sur laquelle vous devez vous concentrer, c'est votre guérison. C'est la seule façon de s'en sortir. N'y voyez pas de l'égoïsme… pensez simplement à vous, pour une fois.

5. La stabilité

Une fois que vous aurez traversé ces étapes, ne perdez jamais de vue votre objectif. Même si vous avez l'impression d'aller mieux, n'arrêtez jamais de prendre vos médicaments.

~

Faites de l'exercice, maintenez-vous en forme, mangez sainement et prenez du temps pour vous. Je ne crois pas à l'excuse « oui, mais je n'ai pas le temps », c'est faux. On peut toujours trouver du temps pour soi, surtout lorsqu'il est question de votre santé. Tout est une question de volonté.

~

Soyez conscient de vos limites. Ne faites pas la même erreur que moi en voulant toujours les dépasser. Nous sommes humains, pas des super-héros. Notre corps et notre esprit ont leurs limites. Soyez attentif aux informations que transmet votre corps. Je sais que ce n'est pas toujours évident: le travail, les paiements, les enfants, etc. Mais dites-vous bien une chose: qu'est-ce qui a le plus de valeur? Votre vie ou les bouts de papier qu'on vous donne à la fin d'une semaine de travail?

~

Le mot de la fin ?

Ce livre m'a permis de comprendre qui j'étais et d'y voir plus clair sur ce que je veux vraiment. Ce n'est pas si compliqué finalement. Tout ce que je souhaite, c'est d'être en paix avec moi-même et d'aider les autres. J'ai cette capacité de bien cerner les gens et de pouvoir parfaitement comprendre leurs émotions et ce qu'ils ressentent. C'est probablement dû au fait que toute ma vie j'ai ressenti de puissantes émotions allant au-delà de la compréhension. Je ne sais pas encore comment, mais ce serait un total gâchis que de laisser de côté cette force que j'ai de pouvoir « lire les gens ».

Toutefois, avant de vouloir sauver la planète, je dois me rétablir. *Péter sa coche* sera donc pour moi ma dernière œuvre pour un certain temps. Évidemment, vous me verrez sans doute donner quelques entrevues, faire des vidéos et des statuts pour en parler. À quoi bon écrire un livre si personne ne le lit, crisse ! Ce bouquin sera ma seule source de revenus pour la prochaine année. J'espère donc en vendre 4 millions. (LOL)

L'idée de l'écrire me vient d'un commentaire sous un de mes statuts où je parlais de mes symptômes. Une personne m'avait suggéré d'en faire un livre, car elle croyait que cela pourrait aider beaucoup de gens. C'est avec cette pensée que j'ai rédigé la totalité de ce que vous avez lu.

~

Mon seul et unique but, c'est de faire en sorte que des gens se sentent moins seuls,

que d'autres sachent à quoi s'attendre s'ils
veulent s'en sortir et que leur entourage
comprenne la complexité de notre quotidien.

~

J'espère avoir pleinement rempli mon mandat. Je peux vous assurer que j'ai mis tout mon cœur et que j'y ai travaillé avec acharnement, soucieux de transmettre le message le plus clair possible.

~

Même dans mes phases les plus noires, je continuais
d'écrire encore et toujours. En quelque sorte, c'est
ce livre qui m'a sauvé la vie. J'avais quelque chose
pour me motiver malgré mes idées noires et mes
noirceurs vécues. Sans ce projet, Dieu seul sait
quelle connerie j'aurais pu faire. Maintenant, j'ai
besoin de repos. Je crois que je l'ai mérité.

~

27 septembre 2016

X

Période dépressive et dernière phase pour de bon

Eh oui, elle est de retour. Nous sommes aujourd'hui le 14 novembre 2016 et il y a un bon mois qui sépare ce que j'écris présentement du dernier paragraphe. J'ai hésité avant de l'écrire celui-ci. On m'a énormément conseillé grandement recommandé de clore mon essai, de finir sur une note joyeuse, de lui trouver une belle fin. Et je crois que c'était le cas. C'était une belle fin. Je mettrais ensuite les témoignages des gens et merci bonsoir, y'a de l'espoir. Malheureusement, cela ne fonctionne pas ainsi dans mon monde.

Je suis sérieusement en train de décâlicer ce que j'ai bâti lors de mes phases high et normale. Je ne fais plus d'exercices. C'est chiant et il fait trop froid. J'ai pourtant 400 $ d'équipement juste pour faire du jogging, mais je n'ai aucune motivation. Zéro. Lorsque je suis arrivé chez ma mère, je pesais 200 livres (90 kilos) et j'avais comme objectif de perdre un petit 10 livres (5 kilos). Je suis même descendu sous la barre des 200 ! Aujourd'hui je pèse 230 livres (105 kilos).

Fuck that ! J'ai faim. Je n'ai pas envie de me priver. J'm'en câlice. En fait, plus rien ne me motive. Je suis coincé ici à la campagne, chez ma mère… J'ai 26 ans et je me fais dire par ma mère quand je dois passer la balayeuse ! Savez-vous ce que j'ai fait aujourd'hui ? J'ai écouté un film, j'ai joué à Donkey Kong sur ma Game Boy 3DS et j'ai fait une sieste de quatre heures.

Maintenant que je suis ici, je songe à ma bonne fortune pourtant bien récente, lorsque j'habitais dans mon propre appartement à Montréal, entouré de gens et de possibilités! Le pire, c'est que mon malaise est contrôlé. Dans le sens que ma médication atténue ce que je vis actuellement, même si je sais très bien ce que je ressens en ce moment même.

C'est fou, hein? Il y a quelques paragraphes du mois dernier où je vous parlais de bonheur et d'espoir de s'en sortir, et me voilà maintenant qui me demande si j'aimais mieux mon ancienne vie plutôt que celle-ci. Au moins dans l'autre, j'avais le contrôle, du moins je l'exerçais à ma façon. Plus maintenant. Je suis un honnête citoyen qui paiera désormais ses impôts et qui se prend en main.

Fuck ça. La vérité c'est que je m'emmerde au plus haut point dans cette ostie de nouvelle vie bien rangée et parfaite. Ça me fait de la peine parce que je suis tellement, mais tellement reconnaissant envers tous ceux qui me sont venus en aide, spécialement ma mère et mon père. Désolé de vous décevoir à nouveau, *I guess*, mais je ne crois pas qu'une pilule pourra guérir ce que j'ai. Je pourrai tout au plus « geler » mes sentiments et mes douleurs, mais ces cycles ne partiront jamais. La seule chose que je peux faire, c'est de l'accepter. Point.

J'aurais tant aimé pouvoir redevenir le p'tit gars joyeux bourré d'ambitions que j'étais autrefois. Tout ceci me semble tellement loin maintenant. Qu'est-ce que je suis censé faire? Un ami m'a dit que je suis présentement en convalescence et non dans une « nouvelle vie ». Que je suis en transition. Que les pilules ont réglé la chimie de ce qui déconnait dans ma tête et que maintenant il serait sans doute temps d'aller chercher un support psychologique.

Il n'a pas tort. Vous ajouterez ça à la liste des cinq choses à faire pour s'en sortir.

Vous savez, j'écris ceci sur un coup de tête parce qu'en ce moment même je suis triste. Pour aucune raison et j'ai cru bon de mettre ces émotions sur papier. Mon médecin m'avait prévenu de ces épisodes. En libérant mon corps de mon anxiété et en stabilisant mes humeurs, beaucoup de choses que j'ai accumulées risquent de sortir sans crier gare.

Il n'en demeure pas moins que je me relâche de plus en plus sur les objectifs que je m'étais fixés. Est-ce ma maladie ou de la paresse? Je crois que c'est un mélange des deux. Bon, O. K., genre 70 % de paresse et 30 % en raison de ma bipolarité. Voilà.

Ils finirent heureux et eurent beaucoup d'enfants

Ce serait quand même une fin de marde que de conclure sur un paragraphe trop triste que j'ai écrit sur un coup de tête. Je vais donc achever ce livre en vous racontant la fois où j'ai fait des champignons magiques dans un parc!

Je plaisante. Bref, ceci était mon histoire et j'espère de tout mon cœur qu'elle aura su vous éclairer, vous divertir et vous réconforter. Comme je l'ai annoncé d'entrée de jeu, il ne s'agit pas d'un guide ou d'un livre contenant une quelconque crédibilité médicale. C'est simplement l'histoire d'une personne, parmi plus de gens qu'on le pense, qui cherche un petit bout de lumière, là où il y a la plus profonde des noirceurs dont peu de gens seront envahis de leur vivant.

Salut.

MATTHIEU BONIN

Mes remerciements

Claudia Sharp

Simon Jodoin

Mathieu Onge

Julie Desjardins

Mathieu St-Onge

Jean Barbe

Alexandra Grenier

Ma psychiatre

Ma famille

La personne qui m'a
donné l'idée d'écrire un livre

Éric Lamontagne

Michel Ferron

Les éditions Un monde différent

Dr Pierre Ste-Marie

Ève Bourdo

Isabelle Malenfant

les 165 000 personnes qui suivent
mes folies sur Facebook

François Perreault

Fanoweb

Karlof Galovsky

Louis-François Tremblay

Toutes les infirmières du monde entier

Mon cerveau

Table des matières

MARQUIS

Québec, Canada

Imprimé sur du Rolland Enviro,
contenant 100% de fibres postconsommation,
fabriqué à partir d'énergie biogaz et certifié FSC®,
ÉCOLOGO, Procédé sans chlore et Garant des forêts intactes.